COLLECT

Camille Laurens

Celle
que vous croyez

Gallimard

Agrégée de lettres modernes, Camille Laurens a enseigné en Normandie puis au Maroc où elle a passé douze ans. Elle vit maintenant à Paris. Elle a obtenu le prix Femina pour *Dans ces bras-là* (2000) et le prix Renaudot des lycéens. Elle est traduite dans une trentaine de langues.

PROLOGUE

Je discutais avec lui depuis vingt minutes il me parlait d'un article que j'avais publié il avait écrit sur le même thème j'aimais bien ses yeux verts cheveux noirs les cheveux noirs j'avais envie de m'enfouir dedans il y avait du blanc sur les côtés des cheveux gris-blanc m'enfouir dedans y plonger le visage tout entier les toucher sentir leur masse les respirer et d'un seul coup sa voix a changé elle est devenue très douce je l'ai entendue très tendre pleine de suavité oui d'attention suave il répondait à oui une étudiante elle est venue lui poser une question une jeune fille brune avec une écharpe rose elle a demandé quelque chose et il m'a tourné le dos comme ça sans un mot d'une seconde à l'autre pfft sans un mot sans une excuse j'ai cessé d'exister comme ça sans je vous demande pardon je vous demande une minute me suis retrouvée toute seule idiote mauvaise sans pardon mon sourire suspendu dans le vide je le voyais je voyais ma bouche sourire ma bouche bête et rouge ils leur regardent les dents comme à des chevaux ils leur tâtent les seins les fesses on l'a pendue cette femme vous savez bien elle avait tué l'homme qui l'avait violée ils l'ont pendue ils nous tuent c'est la haine vous savez c'est la haine écoutez c'était dans le journal je l'ai découpé écoutez regardez je l'ai épinglé sur mon manteau là vous voyez

Sur une affichette placardée aux entrées des marchés on trouve les tarifs c'est là vous pouvez lire *Fillette de 1 à 9 ans : 200 000 dinars (138 euros) Fille de 10 à 20 ans : 150 000 dinars (104 euros) Femme de 20 à 30 ans : 100 000 dinars (69 euros) Femme de 30 à 40 ans : 75 000 dinars (52 euros) Femme de 40 à 50 ans : 50 000 dinars (35 euros)* Le marché aux femmes ils les vendent mais regardez lisez : « les hommes hilares », « les acheteurs amusés » *Les femmes de plus de 50 ans ne sont pas commercialisées, étant impropres à l'usage que veulent en faire les acheteurs. De plus leur prix ne justifierait pas leur nourriture et le coût du transport pour les acheminer du lieu de capture au marché. Les plus chanceuses se sont converties à l'islam, les autres, la majorité, ont été égorgées* non je ne me calme pas ils nous vendent ils nous tuent pourquoi je me calmerais enfin écoutez ils nous tuent nous ils nous liquident tout est dans le journal ça dépend ce que vous lisez comme journal vous êtes des hommes aussi c'est votre job c'est votre came alors ils disent Macron le ministre c'est louche sa femme qui a vingt ans de plus que lui tout le monde se marre faut vraiment que ce soit un pauvre type un faiblard une larve ou alors elle est pédophile les gens disent leur dégoût quelle horreur ce couple les femmes aussi rigolent elles rient de leur mort annoncée des mortes vivantes des flinguées en sursis elles ne le savent pas ils nous tuent même à la naissance mais non pas seulement en Chine en Inde ici on naît « c'est quoi ? c'est une fille » on n'est plus rien on naît rien Moscovici il a une femme qui a trente ans de moins que lui « La belle et le ministre » c'est les titres des journaux tandis que Macron, c'est « le séducteur de vieille » personne ne nous aime personne c'est horrible tu le vois dans la rue tu le sens t'es vieille les regards me traversent ou m'attaquent dégage casse-toi tu pues la mort tu sens le moisi vous avez vu Madonna les gens lui reprochent de « vouloir continuer à exister » c'est ça ce sont les mots exacts que j'ai lus dans le journal un vrai journal un journal sérieux « à cinquante-cinq ans Madonna est pathétique de vouloir continuer à exister » qu'est-ce qu'il faut alors il faut vouloir cesser d'exister il faut se retirer de soi-même comprendre qu'on n'a plus rien à faire là plus de place je n'ai plus de place je ne sais pas où me mettre tiroir cercueil aller dans la boîte il ne sert à rien d'être jeune sans être belle ni d'être belle sans être jeune les hommes mûrissent les femmes vieillissent c'est beau un homme la nuit

une femme c'est triste laissez-vous mettre au cercueil quelle transparence quelle transparence je
suis transparente mon père est vitrier disparais
tu comprends tu piges dégage tu captes marche
à l'ombre va mourir

I

VA MOURIR !

Va, cruel, va mourir, tu ne m'aimas jamais !

PIERRE CORNEILLE

Il arrive qu'un amour qui ne peut avoir lieu dévore l'âme.

PASCAL QUIGNARD

1

Entretiens avec le docteur Marc B.

CLAIRE

J'ai déjà tout raconté dix fois à vos collègues, vous n'avez qu'à lire mon dossier.

Je sais que vous êtes nouveau, je le vois bien. C'est votre premier poste ? Car vous n'avez que trente ans tout au plus.

Vous ne les faites pas.

Je ris parce que je vous récite du Marivaux et que vous n'y voyez que du feu. On n'a toujours pas mis la littérature au programme, chez vous.

Vous pourriez le sentir, je ne sais pas, au rythme, à l'intonation. C'est votre métier d'entendre comment ça sonne. De repérer ce qui cloche. Ding dong. Dingue donc.

Araminte. La belle veuve. Celle dont on ne sait pas si son jeune intendant veut la séduire parce qu'il l'aime ou parce qu'elle est riche. S'il est sincère bien qu'il la manipule. Mais vous n'êtes pas Dorante, j'imagine que vous n'êtes pas là dans l'intention de m'épouser ?

J'ai fait un peu de théâtre, oui, dans le temps – il y a longtemps. Mon mari était metteur en scène – enfin : est. Il a continué, lui. Quand on s'est rencontrés, on était étudiants, on jouait dans la troupe de l'Université. Ça paraît si loin. Et pourtant, vous voyez, je me souviens encore par cœur de certaines répliques. J'ai aussi acquis l'art de la mise en scène, n'est-ce pas ? Mais nous n'allons pas remonter jusqu'au déluge de larmes. D'ailleurs tout est déjà écrit là, dans vos paperasses. Que voulez-vous de plus ?

Vous avez besoin de comprendre ? Comme je vous comprends ! Mais qu'est-ce que vous voulez comprendre au juste ?

Voilà une belle réponse. Vous marquez un point. Comment vous appelez-vous ?

Marc. Marc. Vous me plaisez, Marc, et je suis d'accord avec vous : en chacun de nous, il n'y a que deux personnes intéressantes, celle qui veut tuer et celle qui veut mourir. Elles sont inégalement représentées, mais quand on les a identifiées toutes les deux, on peut dire qu'on connaît quelqu'un. C'est souvent trop tard.

Comment en est-on arrivé là ? On ? Vous êtes gentil de vous inclure dans ce désastre, vous qui venez à peine de débarquer. Personne ne peut vous imputer la situation où je me trouve, où je suis « arrivée », si tant est que j'aie bougé depuis deux, euh, trois ans, deux ans et demi ? que je suis ici. Ou alors, par *on*, vous voulez dire *nous* ? *Nous tous ? On*, l'institution. *On,* les spécialistes.

On, la société. Comment s'est-*on* débrouillé pour que cette femme ici présente soit encore à la charge de la collectivité, pour qu'elle n'ait pas été rendue à ses devoirs, à ses obligations, à sa capacité de production, sinon de reproduction ? Pour que, dans la force de l'âge, elle soit nourrie, logée, surveillée, traitée par nos soins, au lieu d'accomplir pour la communauté ce que sans aucun doute elle sait encore faire ? Où a-t-*on* merdé ? C'est ça, votre question ?

Enseignante. En saignant aussi, quelquefois.

À l'Université, oui, littérature comparée. Maître de conférences. J'allais passer Professeur. *On* était sur le point de m'adouber, de me faire entrer dans le monde merveilleux des mandarins. À quarante-sept ans, *on* peut dire que j'étais un exemple pour les femmes, vous savez que la proportion de femmes aux postes supérieurs est encore ridiculement faible. Et puis patatras ! La grosse tuile ! *On* m'enferme, *on* m'examine, et jusqu'à maintenant, *on* me garde. Vous allez me garder, Marc ? Vous allez me garder avec vous ? Ici, je ne sers plus à rien, je ne paie pas mon tribut à la société. Je suis défunte, au sens strict : je suis défaite de mes fonctions. Oui, voilà, je dysfonctionne, j'ai pété une durite, si vous préférez, un boulon, un câble, et bim dans le décor, je suis morte et vous, vous êtes chargé de me ressusciter, de me remettre dans le circuit, de réenclencher la machine, bref de me réinsérer. C'est bien ce que vous faites, n'est-ce pas ? – de la réinsertion. Vous voulez que la défunte fonctionne à nouveau. À propos, j'ai une remarque à vous faire : vous m'avez convoquée ce ma... – qu'est-ce qu'il y a, vous n'aimez pas le mot « convoquée » ? – Bon. Vous m'avez conviée ce matin, il est 11 heures, je vous le dis pour la suite s'il y a une suite, je ne suis pas bien le matin, pas opérationnelle, je ne me lève pas le matin, je suis assommée par le Valium du soir, pas encore apaisée par le Xanax, encore que souvent (c'est un secret, ne le répétez pas) souvent je ne le prends pas, je préfère l'angoisse à l'oubli, quand on est malheureux il vaut mieux le savoir, vous n'êtes pas d'accord ?

Au début, ça n'avait rien à voir avec Chris – avec Christophe – car c'est de Christophe que vous voulez que je parle, j'imagine ? Du corps du délit, ou plutôt, du cœur du délit ? De mes peines de cœur. Ou bien vous préférez que je parle de mon enfance, de mes parents, de ma famille – tout le bataclan ?

Ce n'était pas du tout Chris que je visais, au début. Je ne le connaissais pas, il ne m'intéressait pas. Je l'ai demandé pour ami sur Facebook uniquement pour suivre l'actualité de Jo – de Joël. Je sortais avec Joël, avec Jo, à ce moment-là. Jo, à cette époque, n'avait presque aucun ami sur les réseaux sociaux, il n'acceptait que des gens qu'il connaissait, sauf moi – il prétendait que les amants ne devaient pas être amis. Tandis que Chris (c'est Jo qui me l'avait dit), Chris avait des centaines d'amis, il surfait beaucoup sur Facebook, son pseudo était KissChris, il engrangeait les like avec une aisance qui faisait l'admiration de Jo. Vous êtes sur Facebook, vous, Marc ? Vous comprenez ce que je raconte ? Vous n'avez pas besoin que je vous traduise ?

Quand on a un peu fréquenté Jo, on peut se dire que c'était bizarre, cette timidité, parce que d'un autre côté c'était un type sans aucune limite, vraiment aucune – à peine celle de ne pas tuer pile au moment où la pulsion lui en venait, et encore : il y a tellement de manières de tuer. Il pouvait vous détruire en un rien de temps, d'un mot, d'un silence. Vous devez savoir que l'angoisse principale des femmes, c'est d'être abandonnées ? Oui, ces choses-là sont écrites dans vos livres. Eh bien Jo était comme ça – j'imagine qu'on pourrait dire « pervers » : il vous abandonnait dix fois par jour. Il savait où était la faille – les pervers, d'une certaine manière, sont ceux qui connaissent le mieux les femmes – et il y enfonçait le coin de l'absence pour réduire en poudre votre énergie vitale, votre envie de bonheur. Il vous tendait la main, il la serrait et puis il vous lâchait, pour rien, sans motif apparent, juste parce que vous comptiez sur lui, parce que vous vous reposiez dans la confiance. Les derniers temps, je ne lui disais plus ce que j'aimais, je cachais ce qui me faisait plaisir, car il se serait ingénié à l'éviter ou à l'empêcher. Quand je n'en pouvais plus, je le quittais, mais je ne reprenais jamais toutes mes billes. Et il revenait tout sucre ou je le rappelais tout miel, et le cycle recommençait, de mois en mois. Ne me demandez pas pourquoi. Je venais de me séparer de mon mari, je n'avais pas envie d'être seule, j'avais besoin d'amour, au moins de le faire, d'en parler, d'y croire, enfin vous devez connaître la chanson, on veut vivre, faut-il dire pourquoi ?

Non, jamais. Jo ne m'a jamais fait de mal physiquement. Ce n'était pas la peine. La cruauté physique, c'est le dernier recours, la baffe dans la gueule c'est pour les débutants.

Difficile à dire. C'est mystérieux, le désir. On veut de l'autre quelque chose qu'on n'a pas ou qu'on n'a plus. Avant, je vous aurais dit qu'on veut toujours la même chose – une bonne vieille chose enracinée dans le passé, fût-elle délétère. Refaire du chagrin. Rempiler au lance-flammes. Mais depuis cette histoire, je ne sais plus. J'ai pensé que le désir pouvait changer de nature, qu'on pouvait le déraciner, le planter dans un sol neuf, plus doux, plus meuble. Au moins essayer. Si tout est écrit d'avance, c'est trop triste, je me disais. Si la messe est déjà dite, à quoi bon prier ?

Oui. Lors d'une de nos longues ruptures, donc, ne supportant pas de ne plus savoir où était Jo, ce qu'il faisait – car il disparaissait, vraiment il disparaissait –, j'ai créé un faux profil Facebook. Jusque-là, je m'en servais très peu, j'avais une page à mon vrai nom, Claire Millecam, c'était professionnel, j'y échangeais quelques informations avec des collègues étrangers ou d'anciens étudiants, de loin en loin, sans grand intérêt. Puis je suis tombée dans le panneau. Pour les gens comme moi, qui ne tolèrent pas l'absence – c'est ce qui est écrit là, non : intolérance à l'absence ? Un peu comme une allergie alimentaire, en somme : trop d'absence et je fais un œdème de Quincke, j'étouffe, je crève – pour les gens comme moi, Internet est à la fois le naufrage et le radeau : on se noie dans la traque, dans l'attente, on ne peut pas faire son deuil d'une histoire pourtant morte, et en même temps on surnage dans le virtuel, on s'accroche aux présences factices qui hantent la Toile, au lieu de se déliter on se relie. Ne serait-ce que la petite lumière verte qui indique que l'autre est en ligne ! Ah ! La petite lumière verte, quel réconfort, je me souviens ! Même si l'autre vous ignore, vous savez où il est : il est là, sur votre écran, il est en quelque sorte fixé dans l'espace, arrêté dans le temps. Surtout si à côté du petit point vert est écrit Web : vous pouvez alors l'imaginer chez lui, devant son ordinateur, vous avez un repère dans le délire des possibles. Ce qui angoisse davantage, c'est quand la lumière verte indique Mobile. Mobile, vous vous rendez compte ?! Mobile, c'est-à-dire nomade, vagabond, *libre* ! Par définition, plus difficile à localiser. Il peut être n'importe où avec son téléphone. Malgré tout, vous savez à quoi il est occupé, en tout cas vous en avez la sensation – une sorte de proximité qui vous calme. Vous supposez que si ce qu'il est en train de faire lui plaisait, il ne serait pas connecté toutes les dix minutes. Peut-être qu'il regarde ce que vous faites, lui aussi, caché derrière le mur ? Des enfants qui s'espionnent. Vous écoutez les mêmes chansons que lui, presque en temps réel, vous cohabitez dans la musique, vous dansez même sur l'air qui lui fait battre la mesure. Et quand il n'y est pas, vous le suivez grâce à l'indication horaire de sa dernière connexion. Vous savez à quelle heure il s'est réveillé, par exemple, puisque regarder son mur est de toute évidence son premier geste. À quel moment de la journée ses yeux se sont posés sur telle photo qu'il a commentée. S'il a eu une insomnie au milieu de la nuit. Il n'a même pas besoin de le dire. Enfin, vous êtes un rhapsode : vous brodez du lien sur les trous, vous reprisez. Ce n'est pas pour rien que ça s'appelle la Toile. Tantôt on est l'araignée, tantôt le moucheron. Mais on existe l'un pour l'autre, l'un par l'autre, on est reliés par la religion commune. À défaut de communier, ça communique.

Bien sûr que ça fait mal, aussi, oui bien sûr : l'autre est en ligne, mais pas avec vous. On peut tout imaginer, on imagine tout, on regarde les profils de ses nouveaux amis, de ses ami-e-s, en quête d'un post révélateur ; on décrypte le moindre commentaire, on fait d'incessants recoupements d'un mur à l'autre, on réécoute les chansons qu'il a écoutées, on en interprète les paroles, on s'informe de ses goûts, on visionne ses photos, ses vidéos, on guette la géolocalisation, les événements auxquels il va participer, on navigue en sous-marin dans l'océan des visages et des mots. Parfois ça vous coupe la respiration, vous êtes en apnée au bord de l'oubli où on vous laisse. Mais c'est moins douloureux que de ne rien savoir, rien du tout, d'être coupée. « Je sais où tu es » : cette phrase était nécessaire à ma vie, vous comprenez ? C'est comme cette épitaphe sur la tombe d'un Américain au Père-Lachaise – j'adorais m'y promener. Sa femme a fait graver : « Henry, je sais enfin où tu dors ce soir. » Merveilleux, non ?! Facebook, c'est un peu pareil : l'autre a beau être vivant, il est assigné à résidence, sa liberté n'est pas entière, il reste en terrain connu sinon conquis. Ainsi la petite lumière verte me maintenait en vie comme un fil de perfusion, une bouffée de Ventoline, je respirais mieux. La nuit, parfois, c'était mon étoile du Berger. Je n'ai pas à expliquer ça. C'est un constat. J'avais un cap au milieu du désert, un repère. Sans ça, je serais morte. Vous comprenez, morte.

Et vous pouvez bien faire comme vos confrères, en déduire je ne sais quel rapport fusionnel avec ma mère, l'impossibilité de me séparer, la castration et tutti quanti. Mais alors ne me dites pas *en même temps* que j'avais les moyens – que *j'ai* les moyens de passer à autre chose : mon travail, mes amis, mes enfants. C'était moi l'enfant. D'accord ? C'est moi. Il n'y a pas d'âge pour être petite. Vous avez sûrement ça écrit quelque part dans le dossier, que je suis l'enfant ?

Qu'est-ce qu'un enfant ? Comment vous

dire… C'est quelqu'un qui a besoin qu'on s'occupe de lui.

C'est quelqu'un qui veut qu'on le berce.

Même d'illusions, oui, pourquoi pas ? L'apaisement est le même. Ah, là, vous êtes content de vous ! Joli rebond : *même d'illusions* ? Voix suave. Vous êtes médecin ou seulement psychologue ? Quelle différence, remarquez ? Ce que je n'aime pas dans votre discipline, votre prétendue science, c'est qu'elle ne change rien. Vous avez beau savoir ce qui se passe, ce qui s'est passé, vous n'en êtes pas sauvé pour autant. Quand vous avez compris ce qui vous fait souffrir, vous souffrez toujours. Aucun bénéfice. On ne guérit pas de ce qu'on rate. On ne reprise pas les draps déchirés.

Vous êtes sur Facebook, vous, Marc ? Vous ne répondez pas. Vous n'en êtes pas fier. Vous ne stalkez pas, vous. Votre métier vous suffit.

Bref, ne pouvant suivre Jo directement, j'ai envoyé à Chris, à KissChris, une demande d'amitié. Il était le relais idéal puisqu'il vivait depuis peu, quoique par intermittences, chez Jo. Ils s'étaient rencontrés une dizaine d'années plus tôt à la rédaction du *Parisien* où ils travaillaient tous deux, Chris comme photographe, Jo comme stagiaire, ils avaient alors dans les vingt-cinq ans. J'ai cru comprendre qu'ils avaient fait les quatre cents coups ensemble pendant deux ou trois ans avant de se brouiller pour une histoire de boulot, de fille, d'herbe ou de fric. Et à l'époque dont je vous parle, ils venaient de se retrouver par l'intermédiaire d'un troisième larron qui les avait rabibochés. Chris ramait, il avait de temps en temps un petit reportage, une photo people, mais il vivait surtout du RSA. Jo, lui, chômeur heureux, s'apprêtait à emménager dans la maison de vacances de sa famille, à Lacanau, près d'Arcachon – un endroit de rêve où j'avais, où j'ai encore de merveilleux souvenirs : le temps passe, le souvenir reste, comme disent les cimetières. Car il y a eu de beaux moments, avec Jo. Quelques-uns. Avec tout le monde, peut-être, il y a de beaux moments. Il peut y en avoir. Ses parents avaient hérité une fortune d'une cousine sans descendance, l'argent n'était plus un problème pour lui. Il faisait vaguement de la musique – rien de sérieux – mais sa mère tenait à ce qu'il garde, à quarante ans, une apparence d'homme actif : il était donc le gardien de la maison, et le jardinier, et le plombier, et l'électricien. Si l'on peut dire, car il ne connaissait aucun de ces métiers. Comme il ne supportait pas de rester seul et que, habitant Paris, je ne viendrais pas le voir très souvent (je me dis parfois que c'était la raison principale de son emménagement définitif en province : me rendre compliqué de le voir), il avait proposé à Chris de l'héberger. Marguerite Duras a écrit quelque chose là-dessus, sur l'idée que les hommes aiment surtout se retrouver entre eux, vous voyez, cette espèce de paresse d'intérêt pour les femmes – trop différentes, trop fatigantes. Elles nécessitent un effort qu'ils n'ont pas envie de faire, pas au long cours en tout cas. Sauf pour baiser, j'imagine. Ils se confortent mutuellement dans leur virilité, ils ne veulent d'une femme ni en eux ni en face d'eux. Je suppose aussi que Jo avait en tête de retrouver sa jeunesse, de recommencer. Il n'a jamais supporté l'idée de vieillir. Dans son esprit, il avait toujours dix-huit ans, il fantasmait sur des filles très jeunes, des mineures, des vierges – vous savez que *teen* est, avec *sex*, l'entrée la plus fréquente sur Google dans le monde ? – bref, il croyait qu'on peut rejouer le film indéfiniment. Enfin, c'est ce qu'ils ont fait. Chris s'est installé là-bas avec Jo, comme au bon vieux temps.

Je n'avais jamais vu Chris en chair et en os. Jo m'avait raconté deux ou trois choses sur lui, c'est tout. Je pense qu'il n'avait pas envie que je le rencontre : même s'il le cachait bien, il était extrêmement jaloux, il avait toujours peur de perdre ce qu'il avait, y compris ce dont il ne voulait plus. Ce qui était perdu pour lui devait l'être pour tout le monde, ce qui était mort à ses yeux ne pouvait pas continuer ailleurs. Une des dernières fois où j'ai vu Jo à Paris avant le drame, il m'a juste montré les photos que faisait Chris, qu'il postait sur Facebook pour essayer de susciter l'intérêt, de créer le buzz, comme il disait. Il n'était pas tendre avec son « meilleur pote » ; d'après lui Chris ne cherchait pas vraiment un job. À Lacanau il était nourri et logé, alors pourquoi se bouger ? Ensuite il avait l'ambition de devenir célèbre sans lever le petit doigt – à peine l'index pour appuyer sur le déclencheur. « Il espère que quelqu'un va un jour le remarquer et en faire le nouveau Depardon », ironisait-il. Ses photos étaient bien, je les ai regardées avec intérêt, mais uniquement parce que je partageais ce moment avec Jo.

Chris ? Non, je ne lui avais jamais parlé, avant. Enfin si, ça m'est revenu l'autre nuit, j'ai fait un cauchemar et la phrase m'est revenue, je vous le raconte, non ? Un cauchemar, ça vous intéresse. Bon. C'était le matin, j'avais cours, j'entrais dans l'amphi, toute pimpante, bien maquillée, je me dirigeais vers l'estrade et à ce moment-là tous les gradins se vidaient d'un coup, les gens étaient tous habillés en bleu, ils se levaient massivement, descendaient à grand bruit et sortaient sans me jeter un regard, pouce vers le bas, et je me retrouvais seule dans l'arène, la reine sans sujets, j'avais peur, je me retournais, il y avait une phrase écrite au tableau en lettres capitales, en peine capitale, je me suis réveillée en sursaut, le cœur cognant à cent à l'heure, et la phrase était là, ça vous pouvez le noter, prenez votre stylo, ça ne doit pas être dans votre dossier. Non ? Vous ne devez pas tout consigner, même l'infime ? Ah ! Vous écoutez ! La grande oreille ! Ça m'a rappelé un truc dans la vraie vie. Un soir, j'ai appelé Jo à Lacanau comme je faisais souvent pour maintenir le lien – le lien amoureux, ce qu'il en restait. La plupart du temps il ne répondait pas, mais ce soir-là, oui. Il avait bu ou fumé, les deux sans doute, en tout cas il était brumeux et agressif, il m'a reproché de le surveiller, de lui téléphoner uniquement pour vérifier qu'il était là, pour le contrôler. Et comme il faisait parfois quand la conversation l'ennuyait, parfois en pleine rue avec n'importe quel passant, il m'a passé quelqu'un sans me prévenir – soudain, au milieu d'une phrase j'ai entendu une autre voix, une voix étrangère qui disait salut, puis calme-toi. C'était Chris, je l'ai compris après. J'ai protesté, j'étais en colère, le procédé me déplaisait, même si parfois j'ai bien ri avec des inconnus arrêtés par Jo au hasard dans la rue… Mais là non, ce type au bout du fil n'était pas drôle, il me tutoyait, sa voix était éméchée et condescendante, tu ne crois pas que tu as passé l'âge d'être jalouse, m'a-t-il dit. Je me suis énervée, je lui ai demandé de me repasser Jo, il a grincé, elle est vraiment pas cool ta meuf, puis d'un ton docte : alors tu te crois tout permis, tu crois que n'importe qui peut appeler n'importe quand. – Je ne suis pas n'importe qui, ai-je répliqué. Et moi au moins, je squatte pas, je vis pas à ses crochets. Là-dessus je l'ai entendu tirer une bouffée, puis il a soufflé la fumée et avant de raccrocher sans me passer Jo, il a dit : va mourir !

Va mourir.

La phrase qui tue.

Il y a des gens qui se défenestrent pour moins que ça, non ? Il y en a plein ici. À force d'être cognés à coups de mots, ils chancellent.

Va mourir. VA MOURIR. Les paroles des autres les poursuivent comme des fantômes hostiles.

Leurs voix profèrent des injonctions impossibles à fuir. Du harcèlement textuel, en quelque sorte, ah ah ! Moi aussi j'aime les jeux de mots, vous voyez. On devrait s'entendre.

Bref, cela pour dire que je ne pouvais absolument pas prévoir ce qui s'est passé ensuite. Quand j'ai créé ma fausse page Facebook, Chris n'était pour moi qu'un parasite, un profiteur misogyne et grossier, un ennemi dans mon rapport vacillant à Jo. Je ne pensais même pas à communiquer avec lui, je voulais juste avoir accès aux actualités de Jo, par ricochet.

Va mourir.

C'est ce que j'ai fini par faire, au bout du compte, non ?

Finalement, j'ai obtempéré. Ici, je ne vis pas. C'est ce que vous vous dites ? L'impératif, quand on est fou, sonne comme un ordre absolu, non ? Dites-moi, c'est ce que vous vous dites ? Un ordre qu'on peut renverser, aussi. Vas-y, toi. Qu'on peut retourner à l'envoyeur. Va mourir toi-même. Quand on est fou. Quand on est folle.

Est-ce que c'est écrit là, que je suis folle ?

Est-ce que toutes les femmes sont folles ?

Comme Chris annonçait publiquement son statut de photographe sur Facebook, j'ai créé mon avatar en me fabriquant une identité de fille passionnée de photo. Sur mon profil j'ai mis l'image d'une brune trouvée sur Google, le visage entièrement masqué par l'objectif d'un Pentax, on ne voyait que ses cheveux, j'avais déduit du survol de ses photos d'amies qu'il préférait les brunes. J'ai indiqué que j'avais vingt-quatre ans (douze de moins que lui au lieu de douze de plus), que j'habitais en région parisienne mais que je voyageais beaucoup – j'ai mis toutes les chances de mon côté. Avant de lui faire à lui une demande d'amitié, histoire de l'appâter sans éveiller ses soupçons j'ai engrangé sans les connaître quelques dizaines d'amis en rapport avec l'image ou la mode, des gens comme lui, *cool*, *swag*, branchés ou losers, contents d'eux et amis du genre humain, *in love with life*. Il m'a tout de suite acceptée. C'est même lui qui a pris l'initiative de la conversation, parce que j'avais liké une de ses photos. Ce devait être au début de l'année, en janvier ; nous nous étions disputés au moment de Noël, Jo et moi – les fêtes, c'est une période vulnérable, on se sent plus seule quand on est seule, Jo n'aurait pas raté une occasion pareille, il a dû me jeter juste avant le réveillon. Alors le message de Chris m'a fait plaisir, c'était idiot parce que ça n'avait aucun sens particulier, « content que tu aimes mes photos, merci, happy new year. Je m'appelle Christophe, Chris pour les amis », ce n'était pas de la drague non plus, juste de la politesse, au fond.

Mais le lien était établi. J'ai répondu que je trouvais ses photos formidables, que j'avais visité l'expo qu'il avait faite l'année précédente rue Lepic (j'avais vu le flyer sur son mur – quelques grands formats à vendre dans une galerie-bar). Il m'a demandé si on s'était rencontrés à cette occasion, j'ai dit que non, qu'il n'était pas là quand j'étais venue. Parallèlement, je scrutais son mur pour glaner des informations sur Jo – une photo de lui déguisé en nain de jardin, un statut ironique sur « le poto qui fait pousser des fanes de carottes sur le balcon », ce genre de choses. Je n'avais plus aucun contact direct avec lui.

La conversation avec Chris s'est développée très naturellement. Il m'a demandé ce que je faisais dans la vie, si j'habitais Paris. J'ai inventé que je travaillais dans l'événementiel – j'organisais des performances en lien avec la mode, j'étais mal payée, éternelle stagiaire, mais je voyageais pas mal et je me construisais un CV – je n'avais que vingt-quatre ans, après tout. J'habitais Pantin.

La mode, c'était pour renforcer son intérêt ; les voyages, pour justifier la difficulté (que j'anticipais) de nous rencontrer en vrai s'il le proposait – je partais souvent au dernier moment, mon boss pouvait me solliciter n'importe quand, heureusement que j'étais célibataire. Et lui ? Lui habitait à Lacanau, dans la maison d'un pote à deux minutes de l'océan, très agréable (tu parles ! Oh le pincement de jalousie en lisant ces mots ! Il avait pris ma place, c'est moi qui aurais dû être là-bas, chez Jo). Ils préparaient tous deux un voyage de plusieurs mois en Inde, à Goa, ils allaient y filmer la vie quotidienne, dénoncer la misère et l'injustice. Son pote espérait aussi rencontrer des musicos. De son côté, il avait un projet de livre. Avait-il déjà un éditeur ? Non, pas vraiment. Mais plusieurs maisons étaient intéressées.

Évidemment, je ricanais jaune, intérieurement : Jo, dénoncer la misère ? Il aurait fallu un peu d'empathie et il n'en avait aucune. L'autre n'existe pas pour Jo, sauf exception, il ne connaît que des figurants sans émotions, des animaux réduits à leurs pulsions ou des choses qu'un geste écarte. Mais peut-être Chris était-il différent ? Tout de suite je l'ai pensé, ou je l'ai espéré : sa façon d'écrire, simple et aimable, sa politesse, sa réserve, la douceur de ses messages, tout contrastait avec Jo, si bien que j'ai complètement oublié son « Va mourir », vous voyez. Cependant, la perspective de voir Jo partir si loin me terrifiait : Lacanau restait un lieu assez proche pour calmer mon angoisse, en pensée je pouvais y aller, imaginer un vol d'oiseau, Goa non.

Assez vite, je me suis prise au jeu – assez vite, ça a cessé d'être un jeu. Les premiers temps, je me dépêchais de rentrer de la fac après mes cours et je me précipitais sur mon ordinateur. « Oh maman, la geek ! » disait mon fils aîné – à l'époque il avait treize ans. Je regardais à peine mon vrai compte Facebook, où j'étais sûre de ne pas trouver grand-chose, et je me connectais à mon faux profil.

J'avais choisi mon pseudo avec soin : Claire par désir de garder mon prénom, si ironique soit-il ; Antunès parce que c'est un nom étranger et aussi celui d'un écrivain. Vous connaissez

António Lobo Antunes ? Un grand romancier portugais. Vous devriez. Il est psychiatre de formation. Mais maintenant il ne fait plus qu'écrire, je crois. D'ailleurs, que faire d'autre ?

Un nom étranger pour pouvoir « m'en aller » si nécessaire. Comme je parle un peu portugais… Et puis le fado, la saudade, je ne sais pas, ça me correspondait bien. Bref : Claire Antunès. Il y a toujours une part d'inexplicable dans le choix d'une identité, non ? Comme dans un roman. J'ai écrit un roman, vous savez. À l'atelier d'écriture, ici. Je ne le montre pas. Personne ne l'a lu. Sauf Camille, celle qui anime l'atelier, vous l'avez rencontrée ? Je l'ai presque fini.

Ça a donc commencé comme ça, doucement. On s'écrivait des messages tous les deux ou trois jours, Chris et moi, on se découvrait. Enfin, moi je le découvrais. Lui découvrait Claire Antunès, une fille de vingt-quatre ans en CDD, assez timide, pratiquant peu Facebook (j'avais une trentaine d'amis seulement), aimant surtout la photographie, la bonne chanson française et les voyages. Il me trouvait cool – c'était son mot, cool, il l'employait tout le temps, pour n'importe quoi : un paysage, une musique, les gens. Au début, j'attendais plusieurs heures avant de lui répondre ; puis je me suis connectée le soir tard au moment où il était lui-même presque toujours en ligne – joie de la petite lumière verte ! – et on s'est mis à tchatter en direct. J'avais toujours envie de savoir ce que faisait Jo, alors j'essayais de faire parler Chris de sa vie à

Lacanau : il ne s'ennuyait pas trop, dans un village déserté l'hiver ? Qu'est-ce qu'il faisait de ses journées ? Il répondait que non, qu'il aimait la solitude, que la lumière était belle au-dessus de l'océan, que c'était cool. Et toi ? Moi, c'était le contraire, je voyais du monde, je bougeais beaucoup. Waouh, c'est cool. C'était assez limité, il faut bien l'avouer, et pour moi parfois un peu ennuyeux, sans les aspérités sensuelles ou hargneuses ou comiques de Jo. Un peu boy-scout, si vous voyez ce que je veux dire. Mais vous voyez certainement. Je faisais attention à ce que j'écrivais, je rajoutais des fautes d'orthographe (et ça m'était très difficile, vraiment, je prenais sur moi : je n'aime pas voir la langue maltraitée. La langue est le reflet de ma vie. Quand je voudrai mourir tout à fait, je me tairai). Lui-même en faisait quelques-unes, mais pas trop – les fautes classiques de mes étudiants : la confusion entre le futur et le conditionnel, l'ignorance des règles d'accord du participe passé, ce genre de choses. J'ai appris à utiliser des abréviations, à semer des smileys, des mots anglais – c'est cool, va checker, je suis busy –, du verlan – trop ouf, tes toph. Je n'avais pas à chercher loin, mes enfants me fournissaient le matériau. Je les avais une semaine sur deux, à cette époque, nous pratiquions la garde alternée, avec mon mari.

Oui, bien sûr ils me manquent. Quelle question. Mais je ne veux pas les voir. *I prefer not to.*

Je le flattais aussi pas mal, par habitude des hommes, mais. Oui… Vous n'avez pas remarqué ? Ah ! C'est parce que vous êtes un homme ! Et un psy, en plus ! Quand je pense que Freud associe le narcissisme aux femmes ! « La femme n'aime qu'elle-même », etc. Oui, peut-être qu'il ne le dit pas de toutes les femmes, c'est possible, vous connaissez Freud mieux que moi. N'empêche qu'il ne le dit pas des hommes. L'homme narcissique, ce n'est pas ce qui intéresse le plus Freud, non ? Enfin, j'étais sincère quand je complimentais Chris : il avait du talent, moi j'étais seulement amateur, j'étais impressionnée par sa maîtrise technique alliée à son « œil », à cette capacité à saisir l'instant. Il me répondait qu'il m'apprendrait, que ce n'était pas très compliqué, que le plus important c'était le cadre. *Il m'apprendrait* : ainsi déployait-il devant moi un avenir ensemble, un futur de nos deux corps côte à côte IRL – *in real life*. Et l'anxiété me tenaillait dans ces moments-là, comme tout ce qui est impossible sans pour autant qu'on y renonce. Accepter de ne pas pouvoir, ce doit être ça, le bonheur.

Sortir du champ quand ça ne cadre pas. Sortir du cadre.

D'un autre côté, ici, je suis encadrée. Il y a des bords ici. Je suis tout le temps sur la photo.

Vous êtes chargé de m'encadrer, c'est ça, Marc ? De me recadrer, plutôt ? Et si moi, je ne peux pas vous encadrer, qu'est-ce qu'on fait ? Ah ?! Et le droit à l'image, alors ? C'est réciproque, non ? C'est comme l'amour. On y a droit, mais on peut se rétracter.

Donc oui, Chris. Assez vite, mais avec beaucoup de délicatesse, il m'a demandé une photo de moi parce que, disait-il, il avait besoin de me voir. Comme le visage était dissimulé sur celle de mon profil, il m'a proposé de lui en envoyer une en message privé, car il comprenait très bien que je ne veuille pas me montrer à n'importe qui. Je pense même que ma timidité lui plaisait, que ce secret l'excitait, le touchait peut-être. Il voulait une femme pour lui, une relation privilégiée. Comment le blâmer ? Avant de me demander ma photo, il avait commenté celle de mon profil, où on ne voyait que « mes » cheveux. Il imaginait la fille forcément belle qui se cachait derrière l'objectif, sous ce casque de jais. Mais il préférait en avoir la preuve…

La photo ? Vous voulez dire : la deuxième ? Non, rien de spécial, pourquoi ?

Je l'ai choisie au hasard, oui, comme la première. J'ai tapé « belle fille brune » sur Google Images, et des dizaines de jolies filles sont apparues, plus ou moins dénudées. J'en ai pris une sage, évidemment. C'est tout. En fait, si j'y réfléchis bien, Chris a dû mettre assez longtemps quand même avant de me réclamer une photo – plusieurs mois –, alors que nous conversions au moins trois fois par semaine sur Facebook. Cela ne devait pas lui déplaire de m'imaginer, de rêver sur un visage masqué. Il y a des hommes comme ça, il y en a de plus en plus, non ? qui préfèrent imaginer plutôt qu'étreindre, sans qu'on sache toujours si c'est par peur d'être déçus ou de décevoir.

Mais j'exagère. Car je me souviens que dès février, il m'a laissé un message pour me dire qu'il « montait sur Paris » quelques jours et me proposer de prendre un verre. Je lui ai répondu, bien obligée, que je partais à Milan pour la Fashion Week, dommage. Je lui ai aussi demandé pourquoi il venait à Paris, si c'était pour son prochain départ. Il m'a dit que oui, qu'il partait bientôt avec son pote Jo, qu'ils réglaient les dernières formalités, passeports, vaccins. Il était aussi déçu de ne pas me rencontrer, mais ce serait pour une prochaine fois.

Non non, rien. C'est juste que… Vous voyez, par exemple, une expression comme « sur Paris », « monter sur Paris », ça me hérisse, normalement. Mais avec Chris, même si je la notais (je ne pouvais pas faire autrement), j'en éprouvais une espèce de satisfaction érotique, comme si nos langues se mêlaient, se mêlaient physiquement en une tendre lutte. Je m'efforçais de parler, plutôt d'écrire comme lui, pour ne pas l'alerter, mais mon désir se fondait sur cette différence et s'en augmentait. Un peu comme on tombe plus vite amoureux d'un accent étranger, d'une intonation inconnue. On est touriste, en amour, on cherche l'autre et l'ailleurs, et on les trouve d'abord dans la langue. Au fait, vous avez déjà rencontré Michel ? Un petit gros, chauve, qui a toujours un dictionnaire sous le bras ? Il est là depuis la nuit des temps, il paraît. Il étudie l'étymologie. L'hébreu, surtout. Hier, à table, il nous a dit qu'amen, ça voulait dire « j'y crois ». Merveilleux, non ? Il faudrait finir toutes ses phrases comme ça, surtout quand on parle d'amour : amen. Je vous aime. Amen.

Bon. Malgré la douceur que me procurait ce lien pourtant fictif avec Chris – je dis fictif, mais ce qu'il faut bien comprendre, c'est qu'il était vrai aussi, c'était un vrai lien, qui me faisait du bien –, malgré cela, je souffrais toujours de la désaffection de Jo. L'idée qu'il allait bientôt partir sans même m'avoir rappelée m'était insupportable. Alors j'ai rassemblé mon courage ou ma folie, comme vous voulez, et la semaine suivante, je lui ai envoyé un sms. Il m'a répondu tout de suite, salut toi je pars loin, si tu veux jouir une dernière fois c'est ce soir minuit chez toi. J'ai dit oui, que je voulais bien.

Il y avait plusieurs mois que je ne l'avais pas vu. Il était beau, bronzé, iodé, excité à l'idée de s'en aller, il n'était déjà plus vraiment là. Jo vit comme tout le monde, dans l'instant présent, mais à la différence des autres il y jouit non pas du présent mais de la certitude, dans le présent, que l'avenir va le rendre heureux. Son présent est une projection perpétuelle vers un lendemain qui chante. Son présent est magnifique parce qu'il est tapissé de perspectives. Ainsi, quand nous avons couché ensemble, le soir, j'ai fait l'amour avec un fantôme ; lui était déjà sur les plages de Goa, entouré de *teenagers* dont il était le héros, il trafiquait des pierres précieuses, montait un groupe trance qui le rendait célèbre, devenait champion de surf, que sais-je… C'est tout Jo : il vit heureux aujourd'hui de choses qui n'arriveront jamais. Jo, c'est le contraire de ce que je disais tout à l'heure : il ne se rend jamais à l'évidence de son impuissance, jamais, il est dans le déni constant de la perte, c'est ce qui lui évite d'être malheureux. Il ne doute pas, c'est une espèce d'intégriste de la vie. Au moins cet enthousiasme prospectif détournait-il de moi ses ondes les plus négatives : je n'existais pas non plus. À peine m'a-t-il suggéré, juste avant de refermer la porte, de retourner chez mon mari. Ma vie, semblait-il songer avec un dernier regard de pitié sur mon appartement, mes livres, mon visage, ma vie n'aurait plus beaucoup d'intérêt dès lors que la sienne, au bout du monde, serait si merveilleuse. Ce n'est pas le tout d'être heureux, encore faut-il que les autres ne le soient pas : la devise est connue. Mais l'enjeu de sa visite s'était inversé pour moi, je m'en suis vite rendu compte. J'aimais toujours faire l'amour avec Jo, mais je pensais à Chris. La situation était ironique : j'avais rencontré Chris pour avoir des nouvelles de Jo, et maintenant j'interrogeais Jo pour avoir des nouvelles de Chris. Ce soir-là, j'ai d'ailleurs appris une chose qui m'a assombrie. Chris avait une petite amie, une fille de vingt ans, déjà séparée du père de son bébé de six mois. Il l'avait rencontrée sur la plage trois mois plus tôt, mais ils se voyaient rarement, car elle habitait Bordeaux et Chris ne se déplaçait pas « pour entendre gueuler le bébé d'un autre – pas fou, l'animal », a dit Jo. Au moins, il ne l'a pas rencontrée sur Facebook, pensais-je tandis que Jo racontait – j'étais si désemparée que je m'accrochais au moindre détail positif, je voulais que notre histoire (« notre histoire » !) soit différente. En même temps, je ne pouvais pas reprocher à Chris de mener plusieurs amours de front puisqu'il n'était pas question d'amour entre nous, seulement d'amitié – et encore : d'amitié virtuelle. « Ça va, *my new friend* ? » m'écrivait-il par exemple. Ou « Je t'embrasse, mystérieuse amie ».

La différence d'âge ? Dans quel sens ? Ah, entre lui et moi ? Non, je pensais que vous parliez de la différence entre Chris et sa petite amie, lui trente-six, elle vingt : seize ans d'écart, ce n'est pas rien. Mais bien sûr, ce n'est pas ce qui vous préoccupe. Non, vous, vous me demandez si la différence d'âge entre Chris et moi – douze ans – était un problème, c'est bien ça ? Dans l'autre sens, vous ne poseriez même pas la question : si j'étais Chris, quarante-huit ans, amoureux d'une femme de trente-six ans, ça n'aurait aucune importance, aucune incidence sur votre réflexion, j'en suis sûre, vous n'auriez même pas relevé ce détail. Vous voyez, vous touchez là au drame des femmes, un de leurs drames ordinaires, et vous n'en avez aucune idée, semble-t-il, alors que c'est votre métier, après tout, l'âme humaine. Ou bien c'est parce que vous êtes jeune et que vous prenez toutes les femmes mûres pour votre mère – dans ce cas, il faut vous faire soigner, Marc. Entre parenthèses, vous me faites rire avec votre complexe d'Œdipe que vous nous servez à toutes les sauces. Tuer son père pour épouser sa mère ? Pfftt ! Il faudrait trouver un autre mythe pour décrire ce qui se passe en réalité : un homme qui tue sa femme et qui couche avec sa fille, voilà qui serait plus juste, beaucoup plus juste. Fin de la parenthèse. Mais dites-moi, pourquoi une femme devrait-elle, passé quarante-cinq ans, se retirer progressivement du monde vivant, s'arracher du corps l'épine du désir (ah ah, l'épine ! Vous l'avez entendu, docteur ?), disons plutôt l'écharde alors, pourquoi les femmes devraient-elles s'arracher l'écharde du désir alors que les hommes refont leur vie, refont des enfants, refont le monde jusqu'à leur mort ? Cette injustice nous dévore très tôt, bien avant d'en avoir l'expérience nous en avons l'intuition. Il y a quelque chose chez les hommes qui n'est pas limité (je ne parle pas de l'intelligence), qui ne menace pas de se refermer, on le sent même chez des petits garçons, et quelquefois chez des hommes très vieux. J'ai vu Jean-Pierre Mocky l'autre jour à la télé, il se vantait de baiser encore à quatre-vingts ans passés, « je bande toujours », disait-il en lorgnant une comédienne dont il aurait pu être l'arrière-grand-père. Et le public applaudissait. « Je bande toujours, amen. » Vous imaginez une octogénaire dire ça en direct, dire qu'elle mouille en matant un petit jeune. La gêne que ce serait. C'est irrecevable, en réalité. Tandis que les hommes… Le monde leur appartient plus qu'à nous – le temps, l'espace,

la rue, la ville, le travail, la pensée, la reconnaissance, l'avenir. C'est comme s'il y avait toujours
un au-delà dans leurs yeux, un arrière-plan qu'ils
peuvent apercevoir en inclinant la tête de côté
ou en se mettant sur la pointe des pieds – ça
nous dépasse, littéralement. Moi, par exemple,
je n'ai jamais eu l'impression d'être l'horizon
d'un homme.

Mes fils ? Quand ils étaient petits, un peu.
Mais ils sont adolescents, maintenant, ils me
dépassent d'une tête, alors bien sûr que je suis
dépassée.

Non, pas mon mari, jamais ! C'est-à-dire… Il
était tellement certain d'être mon seul avenir.
« La femme est l'avenir de l'homme », tu parles !
Non mais la blague… Ou alors, au pluriel, les
femmes. Comme des bornes sur le parcours.

La différence, c'est que tous les hommes ont
un avenir. Toujours. Un à-venir. Un avenir sans
nous. Les hommes meurent plus jeunes. Peut-
être. Mais ils vivent plus longtemps. J'ai lu que
sur les sites de rencontres, la frontière entre
quarante-neuf et cinquante ans est pour les
femmes le gouffre où elles s'abîment. À quarante-
neuf ans, elles ont en moyenne quarante visites
par semaine, à cinquante ans elles n'en ont plus
que trois. Et pourtant, rien n'a changé, elles sont
les mêmes, avec un an de plus. Vous connaissez
ce sketch, je ne sais plus de qui, sur la date de
péremption des boîtes de conserve : « À consom-
mer jusqu'au 25 mars 2014. » Mais qu'est-ce qui
se passe donc au fond de cette boîte dans la nuit

du 25 au 26 ? Nous les femmes, nous sommes toutes des boîtes de conserve. Du jour au lendemain, impropres à la consommation. Et si j'avais dit la vérité sur ma fausse page Facebook, mis ma vraie photo, sans doute Chris ne m'aurait-il même pas acceptée pour amie. En tout cas, il n'aurait pas eu envie de lier intimement connaissance avec une femme de quarante-huit ans.

Évidemment que je n'en suis pas sûre. Je n'ai pas osé la vérité, la catastrophe est venue de là. Au lieu de me moquer de cette injustice, au lieu de la défier, je l'ai intériorisée, je m'y suis soumise plus que n'importe quel homme. C'est trop tard, maintenant.

Vous êtes gentil, vous essayez de vous rattraper. Vous vous enfoncez, en fait. Mais oui, je sais que je ne les fais pas. Je sais qu'un homme peut me trouver belle. Vous me trouvez belle, vous, Marc ? Vous n'avez pas le droit de le dire ?

Merci.

Mais pourquoi merci ? Pourquoi est-ce que j'en ai besoin ?

Pourquoi est-ce que je ne m'en fous pas complètement, d'être trouvée belle ?

Oh ! à ce moment-là, j'étais séparée de mon mari depuis un an déjà. Je l'avais quitté juste avant ma rencontre avec Jo, sans remords et sans scrupule, je savais qu'il avait ou qu'il aurait vite des femmes de rechange, comme il l'avait toujours fait, d'ailleurs il s'est remarié. Vous savez, c'est ce genre d'homme dont on dit : « Il aime les femmes. » Façon plaisante de dire qu'il n'en aime aucune. Il voulait que je reste avec lui, pourtant, mais je n'aimais pas du tout ses arguments. « Tu vas vieillir et bientôt plus personne ne voudra de toi, disait-il. Tu as encore… quoi ? Deux ans ? Trois ans de bons devant toi ? Parce que les mecs n'en ont rien à foutre des femmes mûres. Et tu peux bien faire des thèses et des articles et de la gym, rester brillante et svelte, ça ne sert à rien si tu n'es plus cotée à l'argus. Tandis que moi, même quand tu seras moche, ridée, flasque, je serai là, et tu pourras me bénir de ne pas t'avoir lâchée. » Le narcissisme de la pitié, vous connaissez ? Et il avait trois ans de plus que moi ! La peau du torse qui commençait à se friper, et les poils du pubis à grisonner, et le crâne à percer sous les cheveux. Parce que moi aussi je sais le faire, hein, le montrer comme une pauvre chose vieillissante ! Pourtant, c'était de mon agonie qu'il s'agissait. Il m'enterrait en me proposant une cérémonie de première classe. Le sommet de la haine, quand le fossoyeur attend que vous le remerciiez de creuser votre tombe. Mais je n'avais pas envie d'être morte. Il m'aurait dit « je t'aime », je serais restée. Enfin, peut-être que non. L'amour, c'est quoi sans le désir ? C'est quoi ? Comment fait-on ? Dites-le-moi, vous. Je n'avais pas envie d'être morte, c'est tout, même avec des fleurs par-dessus.

Voilà. Vous comprenez mieux, maintenant ? Vous comprenez comment une quadragénaire bac + 8 (je dis ça pour vos statistiques, vous avez bien quelques grilles à remplir ?) se retrouve en camisole de force dans cette tragédie ? Juste parce qu'elle ne voulait pas mourir.

« Va mourir » : c'est ce que le monde entier dit aux femmes, plus ou moins fort. La littérature s'en fait l'écho, du reste. Vous n'avez qu'à lire Houellebecq – vous avez dû le lire, lui ? Vous seriez bien le seul… – ou Richard Millet : je me souviens d'un roman de lui dans lequel une femme décidait de mourir à quarante-quatre ans. Quarante-quatre ans : c'était l'âge, pour elle (ou pour lui !) où une femme perdait sa beauté et n'avait plus, *par conséquent*, qu'à se suicider. Et elle le faisait ! C'était ça, l'horreur du livre : le narrateur, son amant, accompagnait tout du long son agonie comme une chose inéluctable, programmée, aussi fatale que la diminution de son désir pour elle. Qu'aurait-il pu faire d'autre que de constater tristement sa déliquescence – je vous le demande ? Quant à Houellebecq, on connaît sa chanson. L'effondrement précoce du potentiel érotique des femmes est inéluctable puisque lié aux seuls critères physiques dont usent les hommes « inéducables » depuis « des millénaires », tandis que les femmes, « bien éduquées », peuvent être séduites par la richesse, le pouvoir ou l'intelligence. Et pourquoi ne pas éduquer les hommes ? Pourquoi sommes-nous condamnés à n'être rien par ceux-là mêmes qui feignent de nous plaindre ? Va mourir, c'est la seule devise des hommes pour les femmes, si on creuse un peu – c'est le cas de le dire. Va mourir, dégage, place aux jeunes, place aux hommes.

Elles sont d'éternelles exclues, des humains de seconde zone.

Ah ! la belle excuse ! Vous n'avez rien d'autre à me servir ? Ah oui, vous pouvez rougir. Vous me rappelez ce qu'on me disait, gamine : mange ta soupe, pense à tous les petits Biafrais qui meurent de faim. Oui, alors OUI, ÉVIDEMMENT qu'il y a pire ailleurs. Disons que c'est plus ou moins métaphorique – parfois pas du tout. Parfois, c'est réel, va mourir, c'est une injonction réelle. Je suis au courant. Vous croyez que ça me réconforte ? Que je devrais me réjouir de ma condition de femme française parce qu'ailleurs elles meurent ? Mais comment vivre ici quand là-bas on vous casse les os ? Vous avez entendu ce qu'a dit ce type, là, Hamadache, jamais je n'oublierai son nom, ça rime avec « hache », il a dit : « Il faut interdire les femmes », « j'en suis venu à cette conclusion », il dit, « j'en suis venu à cette conclusion qu'il faut interdire les femmes ». Remarquez, on a eu ça, nous aussi, en France, un type à la fin du XIXe siècle du temps de Huysmans, des Goncourt et des grands misogynes de tout poil, un médecin, j'ai oublié son nom, mais son ambition proclamée était d'« éradiquer la bestiole à chignon ». C'est plus marrant comme formulation, mais ça ne me fait pas rire – plus du tout. Depuis longtemps, la nuit, même ici, je me réveille tout en sueur avec d'horribles images en tête – des filles vitriolées, défigurées au Pakistan, avec des trous à la place des yeux, les chairs déformées ou détruites par la haine masculine, des femmes

violées partout, partout, et parfois pendues pour
ce « déshonneur » même, des adolescentes égorgées, des bébés supprimés à la naissance parce
que de sexe féminin. Les chiffres me dévorent
la cervelle : 48 % de la population de sexe féminin, en constante diminution, contre 52 % de
sexe masculin dans le monde parce qu'on nous
tue, cent trente millions de femmes excisées, une
femme sur trois victime de violences au cours de
sa vie. Je souffre d'une empathie maladive envers
mes semblables, vous savez. Toutes les nuits, je
hurle d'angoisse à l'idée d'être une femme. Avec
l'âge, mon sexe devient mon insomnie. Quand
cette jeune fille a été violée et battue à mort dans
un bus en Inde sous les yeux de son petit ami, j'ai
passé des jours sans pouvoir m'ôter de la tête – je
pourrais presque dire : de la mémoire – la barre
de fer avec laquelle ses bourreaux lui ont mas-
sacré l'intérieur du corps. Je serrais mes jambes
la nuit en y pensant avec terreur, je visualisais ce
geste de va-et-vient qu'ils avaient dû faire pour la
défoncer, et le moment où ils l'avaient jetée du
bus comme un sac d'ordures, et je ressassais la
phrase qu'avait dite l'un d'eux, une fois arrêté :
« On avait décidé de tuer une femme. » Pas de
s'amuser, pas de baiser, pas de rigoler. Non : de
tuer une femme. Ces paroles me laissent tellement incrédule, je ne peux même pas le décrire.
Je les articulais dans le noir de ma chambre, sans
comprendre. C'est comme la photo de ces pros-
tituées tuées dans une maison close à Bagdad,
vingt-neuf femmes ensanglantées, la tête dans

les genoux comme pour se protéger avec leurs moyens dérisoires des armes des hommes. Ça me saute au visage, les sanglots s'étouffent dans ma poitrine avec le malheur d'être une femme. Vous pouvez bien me citer des contre-exemples comme l'a fait le docteur je sais plus qui avant vous, me raconter de belles histoires, Marie Curie, Marguerite Yourcenar, Catherine Deneuve, le pauvre, il cherchait dans sa tête, il avait du mal, forcément, on n'échappe pas à la réalité : c'est un malheur d'être une femme. Où qu'on soit. Toujours. Partout. C'est un combat, si vous voulez. Mais comme on le perd, c'est un malheur. Voilà pourquoi je ne regarde presque plus la télévision, pas les infos en tout cas, je ne lis plus les journaux, les magazines illustrés parce que je ne supporte pas de me voir traiter ainsi, moi à travers toutes ces femmes, toutes ces victimes. Les femmes, que ce soit par la force ou par le mépris, sont vouées à la disparition. C'est un fait, partout, tout le temps : les hommes apprennent la mort aux femmes. Du nord au sud, intégriste ou pornographique, c'est une seule et même dictature. N'exister que dans leur regard, et mourir quand ils ferment les yeux. Et ils ferment les yeux, et vous aussi vous fermez les yeux. Vous fermez les yeux sur le sort des femmes. Évidemment que nous, ce n'est pas la même violence, évidemment. On n'en meurt pas, on en meurt moins. C'est déjà énorme, hein ? Et moi, j'ai été bien lotie, très bien même, il y aurait de l'indécence à me plaindre, mais ça m'est égal, je le fais quand même. Je porte plainte, je signale ma disparition. Prenez acte de ma mort, fût-ce à la rubrique « Faits divers ». Car disparaître de son vivant reste une épreuve. On se fond dans le décor, on devient une silhouette, puis rien. Laissez-moi le dire, au moins, je vous en prie, laissez-moi, écoutez-moi. L'indifférence est un autre genre de burqa – je vous choque ? – une autre façon pour les hommes de disposer seuls du désir. Une autre façon de fermer les yeux. On a servi, on ne sert plus. Hier fantasme, aujourd'hui fantôme. Vous trouvez ça déplacé, comme comparaison ? Mais je suis déplacée, ici, de toute façon. Ici et ailleurs. Je suis sans place. Vous la connaissez, celle-là ? « Quel super-pouvoir acquièrent les femmes de cinquante ans ? Elles deviennent invisibles ! » Oh oui, je vous choque. Je le vois bien. Vous riez jaune. Vous me prenez pour une bourgeoise. Une petite bourge qui confond son sort avec celui des putes et des sacrifiées. Une hystérique. C'est ça, le diagnostic, non ? Encore une qui pense avec son utérus. C'est ce qui est écrit dans votre dossier ? Ou pire ? Psychotique ? Narcissique ? Paranoïaque ? Mais c'est vous, le bourgeois. Scientifique, en plus. La pire engeance de bourgeois : celui qui sait. Qui a des vues éclairées sur la norme, le hors-norme et les hormones. Vous ne savez rien, Marc, ne croyez pas ça. Qu'est-ce que vous connaissez aux femmes, Marc ?

Je voudrais tellement être un homme, parfois. Ça me reposerait.

Ici ? Vous avez raison, changeons de sujet, et restons courtois.

Non. Ici, on me voit. Tout le monde me voit, ici. Alors, je reste. En Afrique, je ne sais plus dans quel pays, au Rwanda, je crois, pour dire bonjour on dit « je te vois ». C'est magnifique ! Nous, on like sur Facebook, on compte les pouces levés sous nos photos de profil, mais le sens est le même. Ce qu'il y a, c'est qu'on ne veut pas seulement être vu, on veut être bien vu. Alors on se rajeunit, on s'embellit, on se pousse du col. On résiste à l'effacement. On ne veut pas se dissoudre dans la foule, on ne veut pas se perdre. C'est facile à comprendre, je pense.

Mais moi, je n'en voulais qu'un. Ça ne m'intéressait pas d'être vue, ni même bien vue. Je voulais être *reconnue*. Que quelqu'un dise : c'est elle ! Vous savez, comme à la naissance, quand le père reconnaît l'enfant.

Ah ça y est, le psy se réveille – je me disais aussi ! Mon père m'a reconnue, oui, bien sûr, qu'est-ce que vous allez chercher. Mais il voulait un garçon, comme tout le monde dans le monde. J'étais la deuxième fille, la déception. Moi quand je dis « être reconnue », je veux dire « avec reconnaissance » : c'est elle, et j'en suis heureux. C'est elle, c'est moi, et notre lien n'est pas réfutable, pas dissoluble. Indiscutable. Inaliénable. « Je te reconnais et je te suis reconnaissant d'exister. »

J'ai fait le contraire, c'est vrai. Quelle cruauté,

Marc. Vous ne me passez rien. Mais c'est vrai. J'ai envoyé la photo d'une autre femme que moi, je ne risquais donc pas d'être reconnue, vous avez raison ! Bon, alors OK, c'est l'inverse, juste le contraire : je voulais peut-être mourir, dans le fond. Une femme est toujours menacée de mort. Jamais en sécurité, jamais. Tout au fond d'elle, une insécurité, une dépendance : le féminin. Voir ce que ça faisait, alors, d'être obligée de mourir. De ne pouvoir vivre qu'à l'état de spectre. Hanter la Toile comme derrière un voile. C'est ce que je disais tout à l'heure – la pulsion de mort – c'est comme ça que vous dites ? – la pulsion de mort, c'est contre soi ou contre l'autre. On ne démêle pas bien.

En même temps, je n'ai jamais été si vivante que pendant ces quelques mois de liaison virtuelle avec lui. Je ne feignais pas d'avoir vingt-quatre ans, j'*avais* vingt-quatre ans. Un reste de mon expérience d'actrice, sans doute. Et de la mémoire. Et du désir. Je me suis coulée dans mon personnage avec l'aisance des comédiens. Comme il n'y avait pas de texte préétabli, j'ai improvisé à partir de ce que mon partenaire me proposait, j'ai renvoyé la balle. Chaque fois qu'on se parlait sur Facebook, Chris et moi, j'entendais en lui ce que je devais jouer, je décryptais ma partition en miroir de la sienne, je devenais son idéal, son alter ego, son rêve de femme, celui que font les hommes les yeux ouverts. Je donnais la réplique, littéralement. Mais ce n'était pas un simple rôle, c'était mon être qui se modelait peu à peu, qui se recomposait par amour – oui, je crois que le mot est juste, l'amour, est-ce que ce n'est pas s'aliéner à quelqu'un, tomber en l'autre, ne plus s'appartenir ?

Et puis ce personnage n'était pas si éloigné de moi, vous savez. Par exemple, Claire Antunès n'était vraiment pas douée en informatique – comme moi. Plus de vingt années la séparaient de moi – une génération (j'aurais pu être sa mère, ah ah) –, mais nous avions beaucoup en commun : la timidité, le rêve, la recherche de l'amour liée à un vrai désir de liberté, au moins d'autonomie (elle gagnait sa vie, ne dépendait pas d'un homme, ni de ses parents), le goût pour l'art (la photo). Et malgré son âge, elle n'avait rien d'une geek, donc. Ainsi, je n'ai pas eu à forcer mon talent pour jouer les idiotes quand Chris m'a proposé de skyper : « C'est quoi, Skype ? » Il n'a jamais insisté. Je lui plaisais comme ça, un peu *out*, un peu *space*. Fleur bleue. Un petit être pur qui attendait l'amour. Lui aussi était un inadapté, à sa façon. Je le pressentais. Mais je l'ignorais encore.

C'est resté longtemps amical, oui. Il est parti à Goa en mars, fin mars je crois, il m'écrivait de là-bas qu'il avait envie de mieux me connaître, on tchattait depuis trois mois. Comme il était loin, c'était plus facile pour moi, je me sentais plus libre de lui parler puisque ça n'avait aucune chance de déboucher sur un rendez-vous. Il m'a quand même invitée à venir le voir là-bas, – ils venaient de louer un appartement près de la plage, Jo et lui. « Ça ne gênerait pas ton copain de me voir débarquer ? » demandais-je. « Non, il est très cool, et puis il invite des gens aussi. » Cette dernière phrase m'a fait beaucoup moins mal que je ne le craignais – du moins si elle m'a blessée, ce n'était pas par rapport à Jo mais à cause de cette généralisation dans laquelle je me trouvais englobée – des gens. Je ne savais pas si Chris poursuivait la même conversation avec sa petite amie ou avec d'autres filles sur Facebook, je pouvais le penser si j'en croyais ce que Jo m'avait dit de lui. Mais je ne le pensais pas. Au contraire, j'étais certaine d'être la seule à entretenir avec lui cette relation à la fois paisible et passionnée. Je le sentais harponné, ferré – non, je n'aime pas ces métaphores animales qui supposent un chasseur et une proie – je le sentais pris, *épris*, et je l'étais aussi. J'étais déjà unique à ses yeux, déjà sortie du lot, des gens. L'amour est une élection, pas une sélection. Nous nous étions élus mutuellement.

Sur Internet, nos conversations étaient devenues plus intimes en raison de la distance, il me parlait de ses projets, m'y associait, « tu verras », « je te montrerai », je lui disais que j'adorais ses photos, surtout celles des femmes pauvres mais souriantes qu'il postait sur son mur, il renchérissait en soulignant leur dignité et l'admiration qu'il avait pour elles, « elles sont magnifiques ». Nos échanges se terminaient maintenant par des petits cœurs, des étoiles, des « je pense à toi », des bisous. Entre parenthèses, je détestais ça, écrire ou voir écrit « bisous », pour moi c'est un mot d'enfant, je fais des bisous à mes enfants. J'aurais voulu que Chris m'embrasse, qu'il écrive « je t'embrasse » ou « baisers », avec la dimension sexuelle qu'on entend dans « baisers ». Bisous, c'est nul, ça dévirilise, ça déféminise, on n'a plus de sexe avec « bisous », non ? Mais je ne disais rien, parce que…

Comment ? J'ai dit ça tout à l'heure ? Oui, je me souviens. Je ne suis pas à une contradiction près, vous savez. Je suis folle, après tout. C'est moi l'enfant, OK. Mais justement, je cherchais un homme qui reconnaisse la femme dans l'enfant. Ou l'enfant dans la femme ? Ah ! Vous m'embrouillez. Bref, on a commencé à se dire des mots doux, des mots qui riment avec bisous. Des mots qu'on dit sans les yeux. J'ai même risqué un jour un « tu me manques » et « quand reviens-tu ? », il a répondu « toi aussi » et « j'ai hâte ». De temps en temps, sur une photo qu'il postait, j'apercevais Jo dans un coin, appuyé sur une planche de surf, en discussion avec des filles, entrant tout nu dans l'océan, son air goguenard ne m'atteignait presque plus ni la beauté de son corps brun, je scrutais ces images pour tenter de deviner quelle vie ils menaient, mais ma douleur concernait à présent l'absent, celui qui tenait la caméra, la morsure de l'incertitude venait du hors-champ. Chris était comme la face aimable de Jo, si vous voulez, sa part aimante, celle qui m'avait manqué. Il m'envoyait des photos de lotus ou de soucis qu'il avait prises en pensant à moi. « Petite fleur », m'écrivait-il. La douceur enfantine de ses cœurs et de ses mots me rendait quelque chose que je n'avais jamais eu, ou si peu, ou si loin : une jeunesse, la tendresse d'un premier amour partagé. En même temps, je faisais cours à la fac, j'expliquais Shakespeare, Racine, Mlle de Scudéry, « l'amour est un je ne sais quoi, qui vient de je ne sais où et finit je ne sais comment ». Ah ! Comment ça finit, tu parles si je le sais ! Je sais tout maintenant. Mais à ce moment-là, devant mon écran, je vivais l'intrigue sans ironie, sans détachement, sans savoir : « J'aimais, Seigneur, j'aimais, je voulais être aimée. » J'étais devenue double, oui, j'étais deux, fleur des champs et fleuron de l'Université. Je me laissais libre cours.

Ah ! Oui, votre prédécesseur aussi m'a servi cet argument. Sans doute que pour lui ça marchait fort avec ses étudiantes. Le nombre de collègues qui épousent une de leurs doctorantes ! C'est devenu la norme. Mais pour une femme, ce n'est pas pareil. La reconnaissance sociale, le respect que suscitent la réussite professionnelle ou le charisme personnel, c'est bien, c'est gratifiant, mais ça n'engendre pas l'amour. Être respectée pour ses cours ou ses livres, c'est comme une parodie du désir qu'on n'inspire plus. L'admiration nous tue aussi, elle ressemble trop au meurtre quand elle nous coupe en deux pour toujours, le corps d'un côté, l'esprit de l'autre, à la hache. « C'est moi que tu démembres », voudrait-on hurler – mais où est passée notre voix, nous ne le savons pas, nous qu'on a éduquées à ne pas crier. Ici, au moins, je crie. Aaaaaah !

Ça fait du bien. Oui et non. Personne n'entend.

Vous, oui. Mais on vous paie pour ça. On vous paie pour que tout le monde comprenne bien que ce n'est pas de l'amour, vous, moi.

Alors franchement, c'était pas la peine.

À demain.

Moi ? Oui, moi je savais à quoi ressemblait Chris. D'abord il y avait sa photo de profil, et puis lui, il n'hésitait pas à se montrer, il était même assez fier de son physique, et il pouvait l'être – autant qu'on a raison de l'être pour une chose qui échappe à notre volonté. Je vous montrerai des photos, si vous voulez. Vous ne les trouverez pas sur Facebook, il y a longtemps que nos deux profils n'existent plus, et pour cause ! Mais j'en ai imprimé plusieurs, je les ai toujours. Je l'avais vu aussi dans une vidéo que m'avait montrée Jo. Un beau mec, vraiment. Grand, mince, bien balancé. Comme Jo. Avec une barbe de trois jours genre baroudeur, très sexy. Un peu cliché, je sais. Mais moi, j'aime tous les signes extérieurs de la virilité, je ne fais pas dans la dentelle, je suis bon public pour le *latin lover*. Chris jouait beaucoup là-dessus, par exemple il insistait souvent sur sa taille – un mètre quatre-vingt-quatre –, un jour il m'a demandé combien je mesurais, j'ai menti, je me suis rapetissée, il m'a envoyé une photo de lui à côté d'un double mètre pliant, il montrait avec la main à quelle hauteur je lui arrivais, à peine sous l'épaule. C'en était presque agaçant, puéril en tout cas, cette façon de mettre en avant ses atouts physiques – mais peut-être est-ce le comble de la perspicacité, en fin de compte ? Ça me rappelle ce passage terrible dans *Belle du Seigneur*. Vous l'avez lu ? Mais vous êtes inculte, Marc. Comment peut-on prétendre sonder le cœur humain sans avoir lu tous les grands connaisseurs du cœur humain ? C'est absurde. Bref, Albert Cohen a créé ce personnage emblématique du mâle, Solal, qui compare la rivalité des hommes auprès des femmes à un combat de babouins : les babouins se battent pour une femelle, et c'est le plus fort qui gagne, et le plus fort c'est le plus grand, et celui qui a les dents les plus belles. Qu'il lui manque dix centimètres ou une dent de devant, et c'en est fini du désir, fini de la grande histoire d'amour ! Cohen nous fait passer pour des idiotes, nous les femmes, mais est-ce que les hommes ne sont pas pires, infiniment plus dépendants encore de notre beauté, de notre apparence ?

C'est à pleurer, quand on y pense.

Enfin, j'ai fait comme les autres, je suis comme tout le monde, sa beauté m'a donné du désir. Ça marche dans les deux sens, le prestige absolu du Beau. Personnellement, je n'ai jamais compris la différence qu'on fait entre la beauté des femmes et celle des hommes. Combien de fois ai-je entendu ce cliché : « Une femme, c'est beaucoup plus beau qu'un homme » ! Et les deux sexes s'accordent là-dessus, c'est le triomphe de la *doxa*. Eh bien moi, je ne trouve pas. Des seins, ce n'est pas plus fascinant, esthétiquement parlant, qu'un torse musclé. J'ai autant de plaisir à regarder un bel homme dans le métro ou les jambes d'un joggeur qu'à admirer une top model en couverture d'un magazine. Enfin, j'avais.

Oh ! Ce n'est pas la peine : ils viennent jusqu'à moi. La preuve : vous êtes là. Non non, ne protestez pas, Marc, je ne me moque pas, vous êtes beau, vous êtes très beau. Et puis il y a quelques jeunes qui jouent au basket, ici, des rehab, des TS, vous avez dû les voir. Cela suffit à ma contemplation. À ma douleur aussi. La beauté, ça fait souffrir quand personne ne songe à vous l'offrir.

Le téléphone est venu avant la photo, oui. Chris m'avait donné tout de suite son numéro, mais je ne l'ai pas appelé avant plusieurs mois. La première fois, ce devait être mi-mai, il venait de rentrer de Goa et était reparti tout de suite à Lacanau, soi-disant pour monter les vidéos faites là-bas et travailler sur son reportage photo – en réalité, rien n'a jamais vu le jour, je crois. Je l'ai appelé en numéro masqué, un soir, tard, sur une impulsion d'angoisse, j'étais seule chez moi, c'était ma semaine sans enfants, j'avais besoin d'une chose réelle. Il a décroché, j'ai entendu une radio ou une télé en fond sonore mais tout de suite il s'est isolé, il a dit « allô », l'image mentale de Jo avachi dans un canapé s'est effacée sitôt née, je lui ai dit : « Chris, c'est moi, c'est Claire, parle-moi. » Il a aussitôt embrayé, c'est ça qui était merveilleux, cet instinct entre nous, j'ai entendu dans sa voix qu'il était conscient de la fragilité de l'instant, il n'avait pas mon numéro, j'avais le sien, je pouvais disparaître et il voulait que je reste, il voulait me garder. Tout cela, je l'ai entendu dans sa voix, tout de suite caressante, douce, très douce, comme s'il parlait à une petite fille. Sa voix me protégeait, me mettait à l'abri, me rassurait, sa voix me privilégiait – pas du tout le ton acerbe du « va mourir ». Il a commencé à me parler de lui, de son séjour à Goa, des gens qu'il y avait rencontrés, de son travail, du désir de devenir un photographe reconnu, il m'a répété que son art c'était sa vie, il m'a dit qu'il aimait Guns N'Roses et Nirvana, mais aussi le rap et le reggae, les trucs dansants, « je suis sûr que tu aimes danser », a-t-il dit pour amorcer le dialogue, j'ai répondu oui et c'était vrai, j'ai toujours aimé danser, même ici on fait des fêtes, vous viendrez, Marc ? Vous dansez, Marc ? Les jours où je ne prends pas mes médicaments, je danse très bien, vous verrez. J'ai dit en riant que j'avais trop bu, et c'était vrai, j'avais bu pour résister au désir de l'appeler, d'entrer dans la réalité charnelle, c'est charnel, la voix, ça dit quelque chose du corps, vous ne trouvez pas ? et puis ensuite j'avais bu pour céder au désir de l'appeler, et je l'avais fait, mais je tremblais tellement que j'avais l'air plus ivre que je ne l'étais, et je faisais très attention à ce que je disais, j'avais peur de me trahir, que ma voix me confonde. « J'adore ta voix, a-t-il murmuré. Mais quel âge as-tu exactement ? » J'ai bredouillé, mon cœur s'est accéléré, et si j'avais tout gâché en lui téléphonant ? Soudain je paniquais, je n'étais même plus sûre de la date de naissance que j'avais indiquée sur Facebook, heureusement il a repris : « vingt-quatre ans, c'est ça ? », j'ai dit : « Oui, bientôt vingt-cinq », il a ri de la précision, « tu parais plus jeune, je veux dire : encore plus jeune, a-t-il remarqué, tu as une voix d'adolescente, j'espère que tu es majeure », puis il s'est repris, craignant que la plaisanterie ne soit un peu osée, trop sexuelle, « mais avec un timbre merveilleux, je suis déjà fou de ta voix ». Il se trompait, bien sûr, vous pourriez me rétorquer qu'il n'avait pas une once d'intuition, qu'il prenait des vessies pour des lanternes, mais pour moi, au contraire : il m'attrapait là où j'étais, dans une adolescence d'amour. Et j'y étais parce qu'il me voulait ainsi, c'est tout. Lacan dit une chose très intéressante là-dessus, votre prédécesseur m'a fait lire un article, je l'ai gardé, il faudra que je le retrouve. En gros, il dit que l'amour est toujours réciproque. Pas au sens où on serait toujours aimé quand on aime – ah là là, ce serait trop beau –, mais dans la mesure où quand j'aime quelqu'un, ce n'est pas au hasard, ce quelqu'un est concerné par mon amour, il en est partie prenante, ou partie prise, si vous préférez, c'est lui que j'aime et pas un autre, et ce n'est pas rien d'être la cause d'amour de quelqu'un, ça crée un rapport, ce n'est pas neutre. J'aime bien cette idée qu'on est responsable de l'amour qu'on suscite, c'est-à-dire que d'une certaine manière, à défaut d'y répondre, on en répond. Avec Chris, les deux mouvements se sont presque superposés, pour lui comme pour moi. Alors quand j'ai fini par lui envoyer la photo de Ka…, euh, de la belle brune, je n'ai pas eu le sentiment d'une super-cherie, enfin pas vraiment, puisqu'il m'aimait déjà : il aimait ma voix, il aimait mes paroles, ma façon de penser, de rire, il me le disait, il me le répétait. Et puis vous l'avez dit vous-même : moi aussi je suis belle. Blonde, d'accord, plus âgée, d'accord, mais aimable. Alors quoi, où était la faute ? À un moment, je me suis juste demandé s'il cherchait une femme pour faire des enfants, c'était mon seul scrupule : s'il rêvait d'être père, si c'était là le fond de son désir – il avait déjà trente-six ans, après tout. Alors je l'ai un peu testé, j'ai remarqué qu'il photographiait beaucoup d'enfants, il a dit « oui, c'est beau les enfants », mais j'ai senti que c'était pour me faire plaisir, parce qu'il croyait que moi j'aimais les enfants, que j'y pensais. C'est là que je lui ai avoué que je ne pouvais pas en avoir, je ne men-tais pas, même si j'ai donné une fausse raison, une histoire d'antécédent génétique, je ne me souviens même plus, en tout cas il m'a récon-fortée, il m'a écrit qu'une femme pouvait très bien être heureuse sans enfants, « et puis si tu en veux, tu pourras toujours en adopter ». « Je t'emmènerai en Inde, a-t-il même ajouté avec une émoticône clin d'œil. Tu as vu comme ils sont beaux et gais, là-bas, malgré leur misère ? »

Mais je vous l'ai déjà dit ! J'ai envoyé une photo prise au hasard sur Google – une jolie brune accoudée à son balcon, un jour de soleil, avec un T-shirt en V et des seins en pomme, mais sage. Comment ça, vous ne me croyez pas ? Pourquoi je mentirais ? C'est parce que je n'ai pas pu la retrouver pour la montrer à votre confrère ? J'ai cherché, mais c'était il y a plus de deux…, trois ans, elle a disparu, je suppose que le turn-over est rapide sur Google, surtout avec les dizaines de milliers d'images qui sont balancées chaque jour. Mais ça n'a aucune importance, vraiment.

Votre intuition ? Nous voilà bien ! Écoutez, je suis fatiguée. Ça suffit pour aujourd'hui, non ?

Bonjour. Vous êtes superbe. Le bleu vous va très bien. Je me permets de vous le dire, ici on peut tout dire, ça n'engage à rien. Vous êtes magnifique. Vous vous laissez pousser la barbe ? Bon, de quoi parlons-nous aujourd'hui ?

Ah mais vous êtes tenace. Vous êtes têtu. Je vous dis que ça n'a aucune importance – la photo d'une belle fille brune prise au hasard. Un fake comme il y en a tant sur les réseaux sociaux. Un simple hameçon, un appât.

D'accord, ça a de l'importance parce que Chris s'est focalisé sur elle, s'est abîmé dans cette image, dans ce leurre. J'ai eu tort, d'accord. Il faut que je récite le confiteor ou quoi ? Vous croyez que je n'ai pas assez pleuré ? Que je ne me suis pas assez repentie ?

Moi en fait, si vous voulez tout savoir, ça me dégoûte, tout ce qu'une femme doit faire pour plaire, pour être séduisante. Bien sûr je le fais, je le fais à mon corps défendant, je l'ai toujours fait, même très jeune, je n'ai jamais été la dernière à acheter des crèmes de beauté à deux cents euros ni des robes hors de prix, décolletées et tout, comme ma mère, à me payer des séances d'épilation chez l'esthéticienne, qui faisaient un mal de chien, à quinze ans je me suis même acheté un gel anti-cellulite avec mon premier salaire de baby-sitter, je me souviens, je m'en mettais sur les mollets parce que mon petit copain les trouvait trop gros. Non, pour être tout à fait juste, ce qui me fait vraiment horreur, ce qui me rend amère, c'est que ça marche, que ce soit la seule chose qui marche. Je me souviens, quand je voyais un homme apprécier ma silhouette dans un tailleur moulant et lorgner mes fesses avant de venir me parler, j'étais à la fois contente et infiniment triste. J'aurais voulu être aimée pour moi-même, vous comprenez ? Sans la gym, sans les fringues, sans le rouge à lèvres. Qu'il me rencontre, moi, et pas l'objet artificiellement créé de son attente. Je me souviens d'un collègue, un jour, il m'avait invitée à déjeuner, il était gras et laid, on discute de la fac, des cours, et au milieu de la conversation, il me regarde et il me dit d'un ton de reproche : « Pourquoi est-ce que vous ne mettez pas de rouge à lèvres ? » Ne pas être obligée de me vendre, de m'exposer comme sur l'étal d'un marché. Le marché des femmes, le marché des femmes. La perpétuelle relance sexuelle. Être sexy, être…

Vous n'êtes pas censé m'écouter au lieu de m'interrompre ? Et pourquoi vous ne rebondissez pas sur « comme ma mère », plutôt ? « ça me rend amère » – a-mère, privée de mère, c'est intéressant, non ? Mes jeux de mots ne vous branchent pas ? Ils vous brouillent l'écoute ? Oh, et puis zut, puisque vous y tenez absolument, je vais vous dire où j'ai pris cette photo, après tout je m'en fiche. C'était une photo de ma nièce Katia. Voilà, vous êtes content ? Ça vous fait une belle jambe…

C'était une jolie brune, et Chris avait l'air de préférer les brunes, voilà pourquoi ! Vous êtes pénible, vous savez.

J'emploie l'imparfait parce que… parce que c'est passé, c'est tout. Qu'est-ce que vous voulez que je vous dise, à la fin ? En quoi est-ce que ça vous regarde, où elle est maintenant ? Quel rapport ? Vous fantasmez sur elle, vous aussi ? Mais non, elle ne l'a jamais su. Oui j'en suis sûre. Absolument sûre, oui.

Parce qu'elle est morte. Oui, Katia est morte. Qu'est-ce que ça change ? Elle était déjà morte quand je me suis servie de sa photo. Ce n'est pas moi qui l'ai tuée, si c'est ce qui vous inquiète. Vous voulez que j'avoue tous les crimes du monde ? Et puis je m'en vais, c'est l'heure de l'atelier d'écriture. Salut !

Je ne sais pas. Peut-être juste parce que je voulais qu'elle continue à vivre. Il y a une chose qui m'a beaucoup troublée quand Katia est morte, c'est que j'ai récupéré son ordinateur avec toutes ses affaires, mais comme ni moi ni personne n'avions son mot de passe, je n'ai jamais pu ni entrer sur son compte Facebook ni a fortiori le clôturer. Alors, sa page existe toujours, des années après son décès ; si vous tapez son nom (mais je ne vous dirai pas son nom, d'ailleurs elle avait un pseudo), elle apparaît, sa photo de profil avec des lunettes de soleil (non, une autre photo), celle de couverture avec un mot écrit en néons jaunes : ELSEWHERE. Et si vous êtes ami avec elle, comme je l'étais, vous pouvez lire son dernier post, insignifiant, quinze jours avant sa mort, et les messages de rares amis – des collègues, plutôt – qui déplorent sa disparition sur son mur, qui lui présentent en quelque sorte leurs condoléances posthumes, qui partagent avec elle le chagrin ou bien la nouvelle, simplement la nouvelle de sa mort. Je me demande comment on appelle ces pages-là, dans le jargon. Pas un fake, non. Un *ghost*, il me semble. Un fantôme. Voilà ce qu'elle est devenue. Une femme doublement virtuelle – morte et restée dans les limbes du Net. Alors oui, je voulais sûrement que ça continue ailleurs, qu'elle soit aimée, elle qui ne l'a guère été, je crois – par un homme, je veux dire –, que sa beauté touche le cœur de quelqu'un. On se ressemble, on se ressemblait, un peu : c'est ma nièce, la fille de mon frère. Elle vivait en moi, si vous voulez, grâce à cette photo. Et Chris l'a aimée en moi. Quel mal y a-t-il à ça ?

Elle s'est suicidée.

Je ne sais pas. On n'a jamais su. Elle avait vingt-huit ans. Son père – mon frère – était mort trois ans plus tôt des suites d'un accident de voiture. Sa femme a été tuée sur le coup, ainsi que ma sœur aînée qui était avec eux ; lui a passé trois semaines à l'hôpital, on a même cru qu'il s'en tirerait, il est sorti du coma, puis finalement… J'ai eu le temps de lui promettre de m'occuper de sa fille. Katia avait déjà vingt-cinq ans, ce n'était plus une petite fille, mais elle était fragile, elle avait tendance à déprimer, à boire trop, à se laisser manipuler, et comme elle était très jolie… La mort de ses parents n'a rien arrangé, bien sûr. Peu après, elle a perdu son job – elle était comptable, je crois qu'elle s'ennuyait ferme – et pour tenir la promesse faite à mon frère, je lui ai proposé de venir habiter chez nous quelque temps, histoire de se refaire une santé. Je vivais encore près de Rouen avec ma famille, à ce moment-là. C'est dans le jardin que j'ai pris les dernières photos d'elle, dont celle que j'ai envoyée à Chris, plus tard.

Je ne la connaissais pas très bien, en fait. Mon frère a longtemps vécu à l'étranger, on ne les voyait presque pas. Je me suis rapprochée d'elle après la mort de ses parents, même si elle est toujours restée assez réservée, en tout cas avec moi… Elle se comportait comme la fille unique qu'elle était, en autarcie, enfin, assez seule. Elle ne se confiait pas beaucoup sur ses amis, elle n'invitait jamais personne à la maison, par discrétion peut-être, mais de toute façon elle ne devait pas en avoir beaucoup puisqu'elle était étrangère à la région, au village où nous habitions. Elle passait son temps sur Internet, c'était les débuts de Facebook, je me souviens, mais moi à cette époque je trouvais ça débile, je savais à peine comment ça fonctionnait. Katia restait des heures devant son écran, ce qui m'agaçait parce qu'elle donnait le mauvais exemple à mes enfants, qui étaient petits et influençables – j'aurais voulu les préserver de tous ces jeux vidéo et autres bêtises. Et le reste du temps, elle bronzait dans le jardin, elle jouait au ping-pong avec mon mari, ou bien elle assistait aux répétitions de ses spectacles, il lui donnait de petits rôles de figuration pour la sortir de sa mélancolie, disait-il, ils s'entendaient bien, il disait qu'elle avait besoin de retrouver un père.

Elle est partie… elle est partie parce qu'il fallait bien qu'elle s'en aille, non, elle n'allait pas rester chez nous *ad vitam æternam*?! Je lui ai trouvé un petit boulot d'aide-comptable dans une société de nettoyage à côté de Rodez. Comment? En écumant moi-même les offres d'emploi dans *Voom Voom*, puisqu'elle ne le faisait pas. « Quand on cherche, on trouve : c'est vrai d'un travail comme d'un mari », disait ma grand-mère. Elle n'avait pas très envie de s'en aller, forcément, elle était bien, chez nous. Mais j'ai pensé que mon frère et ma belle-sœur n'auraient pas apprécié de la savoir si oisive, à son âge. J'ai cru bien faire. Je me suis sans doute trompée. Je l'ai aidée à emménager à Rodez. Elle a pris son poste, elle ne gagnait pas beaucoup mais ça avait l'air d'aller. Même si elle ne donnait jamais de nouvelles de son propre chef, quand je lui téléphonais elle avait l'air d'aller. Je ne pouvais pas deviner, vous comprenez. On n'a jamais su ce qui s'était passé. La police n'a pas mené d'enquête parce qu'elle a conclu très vite à un suicide. Ni un meurtre ni un accident. Un suicide.

Pourquoi ? D'abord la porte de son studio était fermée de l'intérieur. Il n'y avait aucune trace de lutte. Pas de mot d'adieu non plus, c'est vrai. Une bouteille de gin bien entamée. Mais surtout, elle n'avait pas les poignets cassés, c'est ce qu'ils ont établi à l'autopsie. Il paraît que quand vous êtes poussé ou que vous tombez accidentellement, vous avez le réflexe de mettre les mains en avant, même si ça ne sert à rien, du cinquième étage, et vous vous cassez les poignets. Tandis que si vous vous jetez volontairement... Ça me rappelle l'histoire du type qui tombe du vingt-cinquième étage. À chaque étage, il dit : « Jusqu'ici, tout va bien... » Vous la connaissiez ? Attendez, j'en ai une meilleure. C'est une femme qui tombe du vingt-cinquième étage. Elle est rattrapée au vingtième par un homme à son balcon qui lui dit : « Tu baises ? » Elle dit non, il la lâche. Au quinzième étage, elle est rattrapée

70

par un homme qui lui demande : « Tu suces ? »
Non, bégaie-t-elle. Il la laisse tomber. Elle continue sa chute, mais au dixième étage, elle est
arrêtée par un homme. « Je baise, je suce »,
bredouille-t-elle précipitamment. « Salope ! » dit
le type, et il la lâche dans le vide.

Bon. Ça ne vous fait pas rire. Moi, j'adore
les blagues, surtout les mauvaises. Vous êtes
puritain. Dommage. Ce que je veux dire, c'est
qu'elle n'a pas trouvé l'homme qui lui conve-
nait, qui l'acceptait comme elle était.

Quand on m'a laissée entrer chez elle, la
fouille avait eu lieu, ils n'avaient rien trouvé,
aucun indice, aucun lien suspect. À son travail,
ils ont dit que Katia était sympathique, pas très
sociable ; personne ne lui connaissait de liaison
malgré sa beauté. Ils l'ont décrite comme plutôt
rêveuse, à regarder souvent par la fenêtre.

Dans son studio, il n'y avait pas grand-chose,
quelques chemises avec des papiers admi-
nistratifs, des factures – j'ai tout épluché à la
recherche du moindre détail pouvant éclairer
sa vie privée durant les huit mois qu'elle avait
passé à Rodez. Rien. On m'avait rendu son
téléphone portable : rien – les numéros de ses
collègues, celui d'un coiffeur, de la banque,
nos numéros à nous. Et ceux de ses parents,
qu'elle n'avait pas effacés. Il y avait juste un
numéro inconnu, que j'ai appelé pour voir : il
n'était plus attribué. Je pensais que son ordinateur serait plus loquace, mais sa messagerie ne
m'a rien appris, aucun mail compromettant ou

71

simplement privé, elle les avait peut-être supprimés avant de se supprimer. Sa vie – vingt-huit ans de vie – semblait vide, lisse, sans autre aspérité que le décès de ses parents – elle avait gardé toutes les coupures de journaux. La seule chose qui m'a intriguée, ce sont les publicités sur son ordinateur, les cookies, vous savez, qui vous filent et vous fichent en permanence. Il y avait des annonces pour des sites de rencontres, Meetic, eDarling, ce genre. Elle avait sûrement un compte, et j'ai tout essayé pour le retrouver, mais sans le mot de passe, comment faire ? J'ai même demandé à la police d'effectuer une enquête informatique pour décrypter les secrets numériques de Katia. Ils n'ont pas voulu. Pour eux, rien ne justifiait une telle atteinte à la vie privée – les morts aussi ont droit au respect, m'ont-ils dit. Mais si un sale type sur Meetic ou autre l'a poussée à bout, criais-je, est-ce que ce n'est pas un crime ?

Est-ce que ce n'est pas un crime ?

Est-ce que ce n'est pas un crime ?

Mais non. Rien d'illégal là-dedans. Ou alors il faudrait prouver le harcèlement moral, trouver la trace d'une volonté de nuire. Et encore… Est-ce que moi, par exemple, j'avais la volonté de nuire ? La police m'a aussi expliqué que dans les suicides, il n'y a pas forcément préméditation, pas obligatoirement de raison précise. D'où l'absence de signes avant-coureurs nets, ou de lettre d'explication. Katia a pu ouvrir la fenêtre pour prendre l'air, parce qu'elle étouffait, et une impulsion l'aura précipitée par-dessus la balustrade, un genre de *raptus*, ni vu ni connu je m'en vais. Une façon de mettre fin à un souci, à une angoisse, à une existence morne ou à un simple coup de blues, voilà tout. Mais moi, je n'y crois pas. Je pense qu'elle avait rencontré quelqu'un sur Meetic ou sur Facebook, qui sait ? et qu'elle est tombée sur un dingue, un méchant, un type qui l'a fait souffrir à en mourir. Un « va mourir », quoi ! Alors elle est morte. C'est de ça qu'elle est morte. Les gens ne meurent pas, on les tue. Je tue, je suis tuée. C'est le mouvement naturel de la vie, tuer, être tué. On n'y échappe pas.

Allez, bonsoir. J'entends la cloche.

Je vous ai apporté un indice de ce que je vous disais avant-hier. C'est le livre que Katia lisait quand elle est morte. J'ai laissé le marque-page à l'endroit où je l'ai trouvé, p. 157. Elle l'avait presque fini, et elle avait corné des pages, vous allez voir, c'est parlant. J'ai eu un choc quand je l'ai découvert sur sa table de chevet. Tous ses livres étaient rangés tranquillement sur une étagère, rien de passionnant, je les ai regardés un par un – des Club des Cinq qu'elle avait gardés de son enfance, des manuels de comptabilité, quelques romans policiers, un traité du bonheur. Un traité du bonheur ! Et puis ce livre, donc. Je peux vous dire que je l'ai épluché, oui, lu et relu. Et pas seulement parce qu'il était le dernier dépositaire de la vie de ma nièce, en quelque sorte. Je l'ai lu aussi parce que ça m'intéressait, tout simplement. Je venais de rencontrer Jo. Tenez, écoutez ça, elle l'a surligné en jaune :

Aussi contraire que ce soit aux idées reçues, l'homme hystérique (HH) n'aime pas faire l'amour. À la limite, le sexe est pour lui une corvée, qui lui procure très peu de plaisir. Ce qui intéresse l'HH, c'est de séduire, de susciter l'attente puis de la décevoir sys-té-ma-ti-que-ment. Alors il vous laisse en plan et commence à rêver d'une autre proie, d'une nouvelle dupe. L'HH type : don Juan, condamné à errer de demande en demande en les frustrant sans cesse. Sa devise : ailleurs l'herbe est plus verte. L'HH contemporain, de plus en plus répandu, passe sa vie sur Internet : sites de cul ou de rencontres, jeux vidéo, tout lui est bon pour éviter le passage à l'acte. Il préfère mille fois la masturbation ou la fête entre potes. Si vous commettez la folie de l'épouser, il aura vite fait de vous transformer en « fishing widow », ces veuves de pêche irlandaises que leurs maris délaissent constamment pour aller taquiner le saumon avec leurs copains. L'HH fait souffrir les femmes, mais n'oublions pas qu'il souffre aussi. En effet, contrairement au pervers narcissique, il culpabilise de ne pouvoir s'empêcher de trouer tout ce qui paraît lisse et harmonieux, et de faire échouer ce qui pourrait réussir. Il cherche toujours la faille chez la femme, et il la trouve : d'une petite phrase assassine, il vous touchera au défaut de l'armure et vous laissera là. À fuir absolument si vous cherchez l'amour : l'HH ne sera jamais au rendez-vous. À moins que vous ne soyez vous-même hystérique, auquel cas le couple fonctionnera sur le principe de la frustration réciproque ! À méditer !

Oui, je sais bien, je vous vois tordre le nez, ce n'est pas du Freud, d'accord ! N'empêche, quand je lis ça, je me dis qu'elle devait cacher beaucoup de choses, Katia. Elle a corné beaucoup d'autres pages, à croire qu'elle a rencontré tous les dingos de la terre. Elle avait sans doute une vie parallèle à son existence sociale, des fantasmes, des névroses, des fréquentations douteuses. Mon frère était quelqu'un de plutôt strict, elle a eu une éducation renfermée, elle s'est repliée. On le voit bien sur la photo : elle sourit, mais d'une façon contenue, elle retient son sourire. Le problème dans le jeu de cache-cache, c'est quand vous restez caché sans que personne s'en aperçoive. Si tout le monde abandonne la partie alors que vous êtes toujours derrière votre buisson, qu'est-ce que vous devenez ? Perdre à ce jeu, ce n'est pas être trouvé ; c'est quand personne ne vous cherche. On n'a plus d'autre solution que d'ouvrir la fenêtre, de se débusquer de la vie.

Oui, des névroses. Le mot fait tilt pour vous, hein ?

Disons que j'ai essayé de reconstituer ce qui avait pu se passer pour elle. Et j'ai voulu lui offrir une seconde chance, en quelque sorte. Une deuxième vie. Mais ça s'est fait dans l'après-coup. Je suis d'abord tombée amoureuse de Chris, ensuite j'ai envoyé la photo de Katia. Pas le contraire. C'est important. Et s'il y a quelqu'un qui n'avait pas l'air d'une personnalité difficile, c'était bien Chris. Je vous l'ai dit, « cool » était son mot fétiche. Il s'adaptait à moi avec une tranquillité qui me touchait. J'aimais les enfants ? Il en voulait trois. Je ne pouvais pas en avoir ? Il s'en moquait. Je rêvais de voyages ? Il était baroudeur dans l'âme. J'aspirais à un petit nid d'amour ? Il avait envie de se poser. Je détestais les hommes jaloux ? Il ne l'était pas. Je cherchais une relation fusionnelle ? Lui aussi. Il voulait être le prince charmant. J'étais émue de cette disposition à me plaire qu'il avait, à m'accueillir, jusque-là j'avais plutôt connu l'inverse, je m'étais toujours pliée aux désirs, aux goûts de l'autre, alors soudain je me suis dit : c'est ça l'amour. C'est quelqu'un qui accepte de me partager avec moi.

Coupable, oui, forcément, parce que je n'ai rien pu faire. Et puis c'est moi qui l'ai chassée de la maison. Enfin, je veux dire, pas chassée. J'avais juste besoin de me retrouver en famille, surtout que ça n'allait plus très bien avec mon mari, je voulais me recentrer sur nous. Ça a raté dans les grandes largeurs : je me suis séparée de lui trois mois plus tard, et Katia est morte. Et puis il y a eu Jo. Et Chris. Et je suis devenue folle.

Être folle ? Ce que c'est qu'être folle ? Vous me le demandez ? C'est vous qui me le demandez ?

C'est voir le monde comme il est.

Fumer la vie sans filtre. S'empoisonner à même la source.

Katia a dû avoir cette lucidité, à un moment, elle a vu l'absence d'amour, alors elle s'est absentée.

Moi, c'est autre chose. J'ai vu la perte, moi. Pas l'absent. Le perdu. Comme le temps perdu. Avec vous, par exemple, je perds mon temps, là. Vous voulez me faire dire quelque chose, on dirait, mais vous seul savez quoi !

Mon mari est venu ce matin avec les enfants, oui, vous êtes bien renseigné, les nouvelles vont vite. Je n'ai pas voulu les voir, j'ai eu peur qu'il soit avec sa nouvelle femme – et puis leurs visites me perturbent, c'est fini tout ça, je ne suis plus de ce monde. Parlons plutôt de Chris, si vous tenez toujours à parler. J'ai rêvé de lui et cet après-midi, à l'atelier d'écriture, j'ai écrit une belle page sur lui, enfin je crois. Camille avait l'air contente.

Après ce premier coup de téléphone, il y en a eu d'autres. C'était d'une grande douceur et d'une grande banalité, mais chaque fois qu'ils se terminaient, j'avais comme une angoisse d'amour – la peur de perdre qui va toujours avec l'amour, chez moi. Je me raisonnais, je me disais : « Tout ça est une pure fiction. Il est amoureux de toi, mais ce n'est pas toi. Tu es amoureuse de lui, mais sans le connaître. » Mais je me répétais aussi la phrase merveilleuse d'Antonioni, je ne sais plus dans quel film : « L'amour, c'est vivre dans l'imagination de quelqu'un. » Vous connaissez une meilleure définition ? L'amour, c'est vivre dans l'imagination de quelqu'un. Une fiction, oui. Et alors ? Être aimée, c'est devenir une héroïne. L'amour, c'est un roman que quelqu'un écrit sur vous. Et réciproquement. Il faut que ce soit réciproque, sinon c'est l'enfer. Alors nous, on s'aimait, on s'aimait vraiment, Chris et moi : je vivais dans son imagination, ça c'est sûr, je me sentais vivante dans sa tête. Et il occupait mes pensées. J'essayais de me représenter sa vie à l'aide des informations qu'il me donnait. Une phrase d'adolescent comme : « j'ai accompagné ma mère chez le dentiste » ou « mon grand-père est à l'hôpital » me plongeait dans un délire d'empathie amoureuse. Il me parlait avec sincérité de son manque d'argent, de son ambition artistique, l'un entravant l'autre. Il entrelaçait ses paroles de phrases très tendres, un peu naïves, qui me laissaient sans défense contre lui : « Tu es mon rayon de soleil », « ne m'oublie pas », « j'ai envie de parler de toi à tout le monde, tout le temps ». Cependant, il donnait toujours à notre lien le nom d'amitié, et moi aussi. Je me demandais ce que Jo, à supposer que Chris se confie, ce que Jo pensait d'une relation si platonique – il devait trouver ça complètement débile !

Nos conversations avaient presque toujours lieu tard le soir. Souvent, je parlais bas pour ne pas réveiller mes enfants, la semaine où je les avais, si bien que Chris a fini par me demander pourquoi. J'ai raccroché assez brusquement, sans lui répondre, mais ça a été le déclencheur d'une nouvelle série de mensonges. Ceux-ci sont devenus encore plus nécessaires quand il est rentré de Lacanau en juin parce que la famille de

Jo investissait la maison pour tout l'été. Chris s'est installé non pas à Paris, où il n'avait pas les moyens de se payer un loyer, m'a-t-il expliqué un soir d'une voix très douce et posée, mais chez ses parents à Sevran. Ce n'était pas glorieux, disait-il, à bientôt trente-sept ans, de se retrouver en banlieue chez papa-maman, mais il n'avait pas le choix. Et toi, me demandait-il, tu es bien installée ? Tu es à Pantin, c'est ça ? C'est tout près de Paris. J'espère que je viendrai te voir bientôt.

Je me sentais de plus en plus coincée par cette dangereuse proximité, je n'allais pas pouvoir trouver éternellement une excuse pour éviter un rendez-vous, alors j'ai inventé un nouvel empêchement. Je lui ai « avoué » que si je parlais parfois très bas, c'est parce que j'habitais avec quelqu'un, avec un…, bref, je ne vivais pas seule. Il a d'abord cru à un colocataire, mais je lui ai dit que c'était mon copain – mon *boyfriend*. Il a accusé le coup, sa voix s'est voilée en me serrant le cœur. « Depuis longtemps » ? a-t-il dit. « Non, ai-je répondu. Et ça ne marche déjà plus trop entre nous. Il est très jaloux, très soupçonneux. » Chris a abondé dans mon sens avec ardeur : lui aussi détestait la jalousie, c'était un sentiment bas, au contraire une relation amoureuse devait être fondée sur la confiance. « Moi, je ne suis pas du tout comme ça », a-t-il dit. « Et toi, tu n'as personne ? » ai-je demandé. « Non, moi je suis célibataire », a-t-il répondu avec une véhémence voilée de reproche. Je l'avais deviné : une certaine Audrey, vingt ans, un enfant, assistante de caisse à Auchan-Bordeaux, avait récemment disparu de sa liste d'amis. Il avait rompu, il n'était qu'à moi.

Je sais, c'était le moment rêvé pour mettre fin à cette liaison impossible. Mais je ne voulais pas. Je ne pouvais pas. Dès que je faisais un pas vers la rupture, j'en faisais un en arrière pour le rattraper. J'avais besoin de l'entendre, de savoir ce qu'il faisait. J'avais besoin de me sentir aimée de lui. Il avait pris la place de Jo, et si je le perdais, j'étais seule. Il était la preuve que j'existais. Ce qui est triste, vous voyez, tristement banal en tout cas, tragiquement banal, c'est qu'en fait ce faux aveu d'un rival a renforcé notre lien. Chris se croyait exempt de jalousie alors qu'il en était rempli. De cette jalousie qu'on pourrait dire homosexuelle, non, ou infantile, œdipienne, allez-vous me dire ? – vous avez des lumières là-dessus ? –, en tout cas, on a l'impression que l'entrée d'un autre homme dans le cadre excite le désir, l'envie de conquête. La jalousie, c'est de l'amour à trois, non ? À partir de là, nos conversations, par leur caractère secret, clandestin, ont pris une tournure plus érotique. Parfois je raccrochais brusquement (c'était mon fils qui avait fait un cauchemar) et Chris me laissait sur Facebook un message inquiet, presque anxieux, un message d'amant. Il tremblait à l'idée que je puisse cesser de lui parler, ou que quelqu'un m'y oblige, il était dévoré de l'angoisse de me perdre, mais je ne m'en suis rendu compte qu'après. Je jouissais de ces conversations rendues plus intimes par le secret où elles se déroulaient, je les attendais, je les espérais. Bien sûr, quelquefois, le doute me venait avec la déception. J'avais l'habitude de relations plus intellectuelles avec les hommes, j'étais un peu ce genre de personnes qui se demandent comment on peut vivre sans avoir lu Proust. Ne parler que du temps qu'il fait et pas du temps qui passe, que des séries télé et pas de la force du désir, que de la surface et pas du creusement, c'était nouveau pour moi. Enfin, avec Jo c'était pareil, mais la présence physique changeait tout, la sensualité dispense de mots, Proust ne manque jamais à ceux qui font l'amour. Il m'arrivait donc de raccrocher en me promettant de ne plus le rappeler, puisque de corps, il ne pouvait y en avoir. Mais je le désirais de plus en plus fort, sa voix, son image avaient pris possession de moi. Je caressais en rêve les parties de son corps que ses photographies me laissaient apercevoir : son cou, ses épaules, sa bouche. Alors la conversation reprenait sur Facebook. Un soir, il m'a demandé de lui donner mon numéro de téléphone, j'ai résisté, disant que mon compagnon – que j'avais baptisé Gilles – ne supporterait pas ses appels, il a insisté, il ferait attention, il m'appellerait quand je serais en déplacement, ou aux heures que je lui indiquerais moi-même, mais il avait besoin de cette marque de confiance de ma part, il se sentait exclu, inexistant dans ma vie, il avait besoin de posséder quelque chose de moi. Je ne voulais pas lui donner mon numéro parce que j'avais peur que Jo le voie un jour par hasard, découvre que Claire Antunès, c'était moi, et l'apprenne à Chris. C'était la chose que je redoutais le plus. Le lendemain, j'ai donc acheté un petit téléphone avec un forfait Free, deux euros par mois, deux heures de communication, sms illimités, et un numéro rien que pour Chris. Les semaines où je n'avais pas mes enfants, je lui disais qu'il pouvait m'appeler, soit parce que j'étais en déplacement professionnel, soit parce que mon copain était absent. Chris est devenu le témoin à la fois de mes difficultés « conjugales » et de ma fidélité : je ne voulais pas le rencontrer, lui expliquais-je, parce que j'avais peur de tomber amoureuse de lui et donc de tromper Gilles. Chris me disait qu'il comprenait (il comprenait tout !), mais que je devais être honnête avec moi-même. « J'ai la certitude qu'un jour nos vies seront liées », m'écrivait-il. C'était une façon pudique de me dire qu'il m'aimait, et moi j'aimais cette discrétion, cette retenue. Il attendait, il avait confiance en l'avenir, en nous, il ne cherchait pas à prendre le pouvoir. « Apprenons à nous connaître, répétait-il. Nous avons le temps. » C'était bon de pouvoir me reposer en lui, de n'avoir aucune pression. Aucune pression de sa part, je veux dire. Parce que moi, je l'avais, la pression. Ma vie s'organisait de plus en plus autour de cet amour. Je négligeais mes cours, mes étudiants me pesaient, mes enfants me reprochaient d'avoir la tête ailleurs. Je vivais dans l'attente d'un happy end que je savais rigoureusement impossible, j'étais clivée, je devenais folle.

Oui, j'y ai pensé, bien sûr. C'était même une rêverie récurrente : je le rencontrais dans un café, dans la rue, moi, la Claire de quarante-huit ans, et il tombait amoureux de moi – de moi et pas d'une autre. Pourquoi pas, après tout ? Mais pour cela, il fallait que je me débarrasse, que je *le* débarrasse de la Claire de vingt-quatre ans, car je n'imaginais pas qu'il puisse seulement regarder une autre femme, au point de passion où nous en étions arrivés. Pour qu'il m'aime moi, pour que mon visage remplace celui de Katia, il fallait qu'il n'ait plus aucun espoir de rencontrer sa jeune correspondante idéale. Claire Antunès, mon avatar, devait donc disparaître pour que je puisse advenir dans sa vie. Le consoler de ce deuil. Combien de fois j'ai imaginé la suite de l'histoire, sa suite *possible*, vous n'avez pas idée ! Une fois, j'ai même essayé de mettre mon rêve en acte. Chris rentrait de Lacanau, il m'avait donné son heure d'arrivée à Montparnasse, j'avais inventé un déplacement en province, comme d'habitude. Et sur un coup de tête, sans avoir rien prémédité, à l'heure dite j'ai enfilé une jolie robe et je suis allée l'attendre sur le quai. Je m'étais mise un peu en retrait, j'avais l'intention de le suivre sans trop savoir ce qui se passerait, j'avais besoin de voir son corps réel se déplacer ailleurs que dans ma rêverie. D'un coup, je l'ai vu remonter le quai, portant un gros sac de voyage, l'air fatigué et perdu, vraiment perdu, comme un enfant qu'on aurait fait voyager seul. D'ailleurs, au moment où j'improvisais à toute allure une suite possible, un homme s'est avancé vers lui, l'air bourru et gentil à la fois, et a saisi une anse du sac – son père, me dira-t-il plus tard quand Claire Antunès lui révélera qu'elle était là, à la gare, qu'elle avait menti en prétendant n'être pas à Paris. J'étais émue de le voir en vrai, beau mais fragile, étonnamment fragile, je me souviens me l'être dit, stupéfaite de voir son père l'attendre, à trente-six ans, pour le ramener simplement en banlieue. Là, j'aurais dû creuser plus loin, me rendre compte de sa faiblesse. Mais j'étais aveuglée par mon désir qu'il soit fort, je ne voulais voir que le conquérant.

Les choses auraient pu être si différentes.

Je n'ai pas eu le temps. Chris ne m'a pas laissé le temps d'orchestrer mon entrée en piste. D'ailleurs, ce jour-là, il ne m'a même pas remarquée. Je me suis arrangée pour les croiser, lui et son père, aucun des deux ne m'a vue, je le sais, le regard de Chris m'a traversée comme une vitre. Pas l'ombre d'une intuition dans l'air, non. La rencontre est restée imaginaire. Mais toute l'histoire est écrite, vous savez. Ici, à l'atelier d'écriture, Camille nous a proposé l'année dernière de travailler sur le thème : « Changer la donne. » Il s'agissait, à partir de notre propre existence, en partant d'une expérience décevante, malheureuse ou tragique (nous en avons tous, ici, et spectaculaires, vous devez avoir du grain à moudre), il s'agissait d'imaginer une autre version, un développement nouveau, une fin non avenue, d'inventer un récit qui oriente différemment le cours véritable de notre vie. Vous pensez si je me suis lancée dans ce projet ! D'abord, écrire me manquait. Je ne parle pas de l'écriture universitaire, des articles pour des colloques. Je n'ai jamais compris d'où me venait cette énergie – que j'ai eue pendant des années – à rechercher des choses insignifiantes et à en faire le compte rendu comme si le monde allait en sortir transformé ou meilleur : la datation d'une lettre de La Rochefoucauld à Mme de Lafayette, la virgule surnuméraire dans un manuscrit d'Henry James, la rime en -ance chez Victor Hugo. Quelle angoisse, quand on y pense ! Quelle fuite devant la vie ! Non, je parle de l'écriture personnelle, de ce mouvement qui va de l'intérieur vers l'extérieur pour exprimer ce qui s'est imprimé en soi – écrire pour dire son expérience, ses rêves, écrire pour dire son désir, l'attraper dans le filet des mots comme un poisson gigotant. Vous avez déjà essayé, vous, Marc ? Bien sûr, c'est souvent décevant : la confrontation entre le récit qu'on a dans la tête et celui dont on accouche plus ou moins péniblement peut être terrible. Un poisson, c'est toujours plus beau ondulant au gré du courant qu'agonisant sous le vent ; les écailles miroitent mieux dans la rivière que dans les mailles de l'épuisette. Mais pendant qu'on le traque, on est heureux. Enfin, je ne sais pas si le verbe « traquer » convient bien, il est trop

« chasseur ». Il vaut mieux garder la métaphore du poisson. L'écriture, c'est de la pêche – pêche à la ligne, pêche au gros, c'est plus ou moins physique, mais le principe, c'est l'attente. Une attente active, un aguet. L'impression que si vous attendez bien, si vous savez attendre, à l'écoute du moindre frémissement de ligne, du plus petit friselis, vous ne serez pas bredouille, ça va mordre. Écrire, c'est comme l'amour : on attend, et puis ça mord. Ou pas, comme dirait mon fils. Sauf que dans l'amour, souvent c'est nous le poisson. Ah ah, je m'emberlificote dans mes images. Revenons plutôt à nos moutons. À l'atelier, j'ai écrit l'histoire telle qu'elle aurait pu se dérouler si j'avais osé. J'ai imaginé ce qui aurait pu se passer entre Chris et moi si j'avais osé me présenter à lui – sans lui avouer que j'étais sa mystérieuse correspondante Facebook, non, je n'aurais pas pu aller jusque-là, j'aurais eu trop peur, trop honte –, juste me présenter, moi, une nouvelle rencontre. Je me suis laissée aller à mes rêves, c'était bon, ah comme c'est bon.

Évidemment, même là, il a fallu choisir entre plusieurs fins, *happy or not happy*. Vous verrez. Je vous le donnerai peut-être à lire, un de ces jours, quand j'aurai fini. Mon histoire d'amour avec Chris, en mode roman. Histoire de nous faire vivre tous les deux ensemble, de ranimer nos fantômes, nos corps virtuels, nos âmes silencieuses, nos paroles tues. Camille aime ce que j'écris. Le truc le plus génial, à l'atelier, c'est qu'ensuite on va faire un genre de cadavre exquis – désolé pour le mot, vu les circonstances, mais ça s'appelle comme ça, un cadavre exquis, vous devez absolument lire davantage, Marc, ça n'est pas possible. Un genre de jeu surréaliste, donc. Sauf que là, il s'agira, une fois notre récit terminé, de le passer à notre voisin ou voisine d'atelier pour qu'il y ajoute un chapitre, ou une page, un autre dénouement. Quelque chose qui nous échappe, quoi ! La fiction d'un autre projeté sur notre propre fiction. Le rêve de chacun, rêvé par un autre rêveur. L'idée me plaît, l'idée qu'on n'écrit pas tout, qu'on est écrit, aussi. Qu'on peut voir les choses autrement. Que les choses peuvent être autrement.

Pourquoi dehors ? Je ne peux pas, dehors. Je ne peux simplement pas. J'ai essayé. Je suis toujours revenue très vite, on m'a ramenée. Mes enfants sont gentils. Mais on ne peut pas attendre, dehors. Les gens vivent, dehors. Moi, je n'ai plus rien à vivre. Je ne vis pas, moi, j'attends la vie.

Écrire ? Oui. Attendre, écrire : c'est pareil.

Mais je ne peux pas. Vous ne comprenez donc rien ? Qu'est-ce que vous voulez que je vive avec un autre homme ? C'est lui que je veux.

Pour la baise, vous voulez dire ? Ne vous inquiétez pas pour moi : si on veut baiser, c'est largement aussi facile ici que dehors. Si on veut.

Non.

Non.

Je ne sais pas.

Non.

Vous n'en savez rien.

Non.

Laissez-moi. Je suis fatiguée.

Je vous regardais arriver, là, dans le parc, on aurait dit un flic. Un inspecteur de la BAC. Votre façon de vous arrêter pour parler aux gens. On a toujours l'impression que vous enquêtez incognito. Alors que tout le monde vous connaît, vous voyez ce que je veux dire. C'est comme dans les cités : vous parlez aux gens, ils ne vous disent que ce qu'ils ont envie de vous dire. Ils mentent, aussi bien. Ils veulent la paix.

Alors c'est quoi, votre question, inspecteur ?

Ah ! La mort. Bien sûr, la mort. C'est la question. *That is the question.*

Je sentais tellement d'angoisse dans la voix de Chris, certains soirs, à l'idée de me perdre, que je finissais toujours par le rassurer : ça n'allait plus du tout avec Gilles, il était jaloux, colérique, je ne savais pas quoi faire. « Quitte-le », me disait-il. Oui, mais pour aller où ? Je n'avais pas assez d'argent pour assumer seule un loyer, répondais-je. Chris restait silencieux, malheureux de ne pouvoir rien me proposer, sa situation économique était encore pire que la mienne. Au téléphone, ces jours-là, j'avais honte, dans mon confortable trois-pièces rue Rambuteau, de surjouer la vie précaire. En même temps, j'étais parfois agacée de son inertie. S'il vivait chez ses parents, c'était aussi parce qu'il ne voulait pas chercher de travail. Après avoir vécu un temps aux crochets de Jo, il aurait pu trouver un boulot de serveur ou n'importe quoi. Mais il ne voulait pas. « Je me consacre à mon art, je ne vais pas gâcher mon talent », disait-il entre deux bouffées de cigarette – je l'entendais expirer la fumée, ça me touchait d'avoir ce minuscule accès à son corps ; il fumait peut-être des joints, je lui ai demandé un soir, il s'est récrié, non, il avait arrêté tout ça, il était clean. Une fois, il a dédaigné un job de photographe que je lui avais trouvé sur Internet. Je lui avais envoyé le lien sur Facebook, ce n'était pas mirobolant, des mariages, des cérémonies familiales, mais enfin ça lui aurait donné un peu d'air. Mais non. Il se jouait à lui-même la scène de l'artiste maudit, pauvre et digne dans sa misère. Il voulait être Depardon ou rien. En même temps, il passait une grande partie de ses journées à regarder des séries américaines en ligne, ça n'avait rien de spécialement génial. Son refus me montrait aussi qu'il n'était pas prêt à faire n'importe quoi pour moi, pour me conquérir. C'est aussi ce qui m'a décidé à rompre sans trop de scrupules, vous comprenez. Parfois je m'ébrouais, je me demandais ce que je faisais encore là, dans ce mélo, dans ce méli-mélo. Comment aurais-je pu imaginer… ? En fait, je ne savais vraiment plus quoi faire. Quand j'élaborais un stratagème pour le « quitter » en douceur – et me quitter, aussi, quitter la jeune fille en moi –, il me parlait d'une voix si suave au téléphone que j'abandonnais mes résolutions. Il me racontait ce que nous ferions quand nous serions ensemble. Il me masserait longuement les soirs où je rentrerais fatiguée, il me ferait des pâtes à la carbonara, sa spécialité, on irait se promener dans sa DS « déglinguée mais cool » – c'est une vieille fille, disait-il, elle a quarante-cinq ans. Et je rougissais secrètement à l'autre bout du fil. Il ne parlait jamais de choses plus explicites, ne faisait par exemple jamais d'allusions coquines, encore moins ouvertement sexuelles. Je ne savais pas s'il avait peur de m'effrayer ou s'il n'était simplement pas très porté sur le sexe. Cette hypothèse m'inquiétait, parce que moi, certains soirs, sa voix suffisait à me liquéfier, je raccrochais engoncée dans mon désir indicible. J'avais quelquefois souligné le nombre de jolies « meufs » qui likaient ses posts sur son mur, il m'avait répondu d'un ton rassurant que c'était normal pour un photographe, les modèles féminins cherchent toujours des shootings. Alors il voulait peut-être me montrer que je n'étais pas un plan cul pour lui, mais bien autre chose. Et c'était vrai. Un soir, il a posté la vidéo de Patti Smith chantant *Because the night belongs to lovers* – magnifique chanson, vous la connaissez ? – mais parmi toutes les citations possibles, il a choisi d'écrire en commentaire : *Love is an angel disguised in lust*. Si l'amour est un ange, pensais-je en l'écoutant, il n'a donc pas de sexe. J'en étais à la fois malheureuse et réconfortée : même s'il n'y avait que des mots entre nous, nous étions des amants.

Il venait de plus en plus souvent de Sevran passer la soirée à Paris, et il devenait de plus en plus difficile de justifier mon refus de simplement le rencontrer. « On peut quand même prendre un café, non ? Un déca, plaisantait-il. Je sais que ton mec n'est pas cool, mais tout de même. Dans ton job, tu vois sûrement plein de gens, non, et même sûrement des photographes, non, alors pourquoi pas moi ? » Quand j'éludais, il me disait : « C'est parce que tu sais que dès que nous nous rencontrerons, tout sera clair – clair comme ma Claire. J'ai la certitude absolue que nous sommes faits l'un pour l'autre, et tu le sais aussi, au fond de toi, même si tu ne veux pas te l'avouer. » Claire comme ma Claire, oui, ironisais-je intérieurement. Très claire, en effet. Claire comme de l'eau de roche. Mais je souffrais. Je me défendais comme je pouvais. « Tu dis ça parce que je te plais physiquement, parce que tu me trouves jolie. Mais tu ne me connais pas. Je te mens peut-être. » « Si, je te connais, répondait-il, très sûr de lui, très posé. Ça n'a rien à voir avec ton physique, tu me connais mal. Je m'en fous, de ça. Ce qui compte, c'est ton être. J'aime ton être. Je suis amoureux de ton âme, je l'entends dans ta voix, dans tes mots. Ce qui n'empêche pas que j'ai très envie de te prendre dans mes bras », ajoutait-il en entendant mon silence. Et ce simple syntagme « te prendre dans mes bras » me faisait plier les genoux, me terrassait.

Je n'ai pas pu, non. Je n'ai pas pu. Un jour, pourtant, je lui ai posté une chanson chantée par Catherine Ribeiro via YouTube, *De la main gauche* – après tout, j'étais censée aimer la bonne chanson française. Je voulais surtout qu'il prête attention aux paroles, quand elle dit : « Tiens voilà ma détresse / Tiens voilà c'est la vérité / Je n'ai jamais eu d'adresse / Rien qu'une fausse identité. » Mais il a... Comment ? Vous vous moquez de moi, là ? Bon... Si vous voulez. Ça nous distraira. Je vous préviens, je ne chante pas toujours très juste, surtout a cappella.

Je t'écris de la main gauche
Celle qui n'a jamais parlé
Elle hésite elle est si gauche
Que je l'ai toujours cachée

Je la mettais dans ma poche
Et là elle broyait du noir
Elle jouait avec les croches
Et s'inventait des histoires

Je t'écris de la main gauche
Celle qui n'a jamais compté
C'est celle qui faisait les fautes
Du moins on l'a raconté

Je m'efforçais de la perdre
Pour trouver le droit chemin
Une vie sans grand mystère
Où l'on ne se donne pas la main.

Bon, j'arrête, j'épargne vos oreilles. Ma tentative d'aveu a échoué lamentablement, il n'a pas capté le message, *rien qu'une fausse identité, s'inventait des histoires…* il n'a retenu que la fin : « Je voulais dire que je t'aime / T'aime parce que ça semble vrai. » Et il m'a répondu : « Moi aussi, Claire, je t'aime », tout en se moquant gentiment : « Catherine Ribeiro… C'est tes parents qui écoutaient ça quand t'étais petite ? » J'avais oublié qu'elle était d'origine portugaise, comme mon avatar ! Vous voyez, je voulais me dévoiler, mais inconsciemment je restais Claire Antunès.

Enfin bref, c'est devenu intenable, je me débattais dans la fiction, je souffrais dans la réalité. Il me pressait, je n'avais plus aucune raison de refuser de le voir, de prendre un café. Il fallait trancher, il n'y avait pas d'autre issue. Ça m'arrachait le cœur, mais un jour où je me sentais forte, je lui ai écrit un message d'adieu auquel il n'a pas répondu. Je l'ai appelé, il n'a pas décroché, j'ai laissé un long message. Je lui disais que j'allais me marier avec Gilles, qu'il avait trouvé un travail au Portugal et qu'on allait partir avant la fin du mois, que c'était décidé : il fallait quitter le rêve. Je continuais en lui disant à quel point je l'avais aimé, à quel point je l'aimais, tout en sachant que cet amour virtuel ne pouvait tenir lieu d'amour. Je lui demandais de ne plus chercher à me joindre, d'ailleurs j'allais supprimer ma page Facebook et changer de numéro de portable pour éviter de céder à mon propre désir comme au sien. J'affirmais ne pas douter qu'il rencontrerait bientôt l'amour vrai (hélas je n'en doutais pas). Je terminais par ces mots : « Je t'embrasse tendrement. » En les prononçant, j'ai pensé que la dernière syllabe qu'il entendrait de moi serait celle-ci : ment. Je ne sais pas ce qui me dévastait le plus, de l'avoir perdu ou de l'avoir trahi. Ma culpabilité est double, vous comprenez, elle est écrasante. Je l'ai leurré avec un fake, je l'ai laissé sombrer dans mes mensonges.

Si. Il a laissé passer un jour ou deux, pensant probablement que le temps allait éroder ma décision (et il avait raison : j'attendais désespérément sa relance). Puis il m'a adressé un dernier message, un message qui lui ressemblait entièrement : à la fois calme et passionné, humble et sûr de lui. Il me disait avoir la certitude que nous étions faits l'un pour l'autre, que nos destins étaient liés par l'amour. Mais aussi qu'il respectait ma décision, qu'il en était très malheureux mais qu'il l'acceptait. Qu'il s'effacerait de ma vie si c'était ce que je souhaitais. Qu'il ne m'écrirait plus, ne m'appellerait plus. *Peace and love*, c'était ses derniers mots.

J'ai fait un immense effort sur moi-même pour ne pas le rappeler. J'ai fantasmé une scène où je lui avouais tout et où il m'aimait quand même, mais je n'y croyais pas, je me sentais insuffisante et mon orgueil ne pouvait pas risquer le coup fatal. Je me regardais longuement dans le miroir, je me disais : « Impossible. » Je ne pouvais pas rivaliser avec la beauté de Katia. Et puis aurait-il supporté tant de mensonges ? Alors j'ai tenu bon dans mon silence, aidée en cela par un voyage que j'ai fait juste à ce moment-là – un colloque sur Flaubert au Brésil : j'y suis partie sans mon ordinateur et sans mon second téléphone. Ces dix jours ont été atroces. C'était une mue terrible, douloureuse : redevenir Claire Millecam, agrégée de l'Université, divorcée, parent isolé, mère de deux enfants. Quitter Claire Antunès et le bonheur d'aimer et la joie d'être aimée, m'en débarrasser comme d'une vieille peau – la belle Claire, une vieille peau, horrible dilemme !

Quand je suis rentrée, j'étais à bout. Je me suis précipitée sur mon téléphone. Aucun message. J'ai ouvert mon ordinateur : rien dans ma messagerie. J'ai voulu aller sur la page de Chris. Elle avait disparu. Complètement disparu. Son nom n'apparaissait plus nulle part, et sur mon mur toute trace de son existence, ses likes, ses posts avaient été effacés. Seuls ses messages privés étaient encore lisibles sur Messenger. Il avait été plus fort que moi, plus radical, ai-je pensé. Et j'ai souffert qu'il ait eu cette force, que cette force ait été plus puissante que son amour. En même temps, j'étais non pas soulagée, non, le poids était trop lourd, mais relayée, relevée de mon devoir de renoncement. Je n'avais plus à me battre puisqu'il n'y avait plus d'ennemi, sinon un ennemi impuissant – moi-même. Je n'ai pas pu renoncer tout de suite, malgré tout : j'ai rappelé, mais la communication ne passait pas, j'étais rejetée, je ne pouvais même pas déposer un message. J'ai aussi cherché à joindre Jo pour avoir des nouvelles, indirectement. Mais Jo faisait le mort, j'ai pensé qu'il était reparti à Goa ou ailleurs, peut-être plus loin, peut-être avec Chris. J'ai attendu plusieurs semaines avant de résilier mon forfait de téléphone, et finalement je l'ai fait. Enfin, j'ai coupé le dernier pont en supprimant la page Facebook de Claire Antunès. Et j'ai repris mon ancienne vie comme on referme un roman. Meurtrie, terrassée. Vieille.

Non.

Ou peut-être un peu. Il n'était plus ma dupe. Mon imposture disparaissait devant la puissance que je lui prêtais, que j'ai toujours prêtée à tous les hommes, souvent avec raison : celle de rebondir, d'oublier, de tourner la page. Alors qu'une femme livre un combat permanent pour ne pas être victime, pour rester forte, ou au moins digne. Je ne vous demande pas si vous avez lu *Les liaisons dangereuses*, je suis sûre que non. La marquise de Merteuil écrit à Valmont : « Pour vous autres, hommes, les défaites ne sont que des succès de moins. Dans cette partie si inégale, notre fortune est de ne pas perdre, et votre malheur de ne pas gagner. » Pour un homme, il y a toujours une autre femme possible. Toujours une de retrouvée, au moins une. Cette certitude est gravée dans leur structure, que la femme aimée n'est pas la seule femme. C'est ce que je croyais, vous comprenez ? À mes yeux, il sortait finalement victorieux du combat que j'avais toujours dominé.

Non. J'ai vu un psychiatre pour qu'il me donne des somnifères, c'est tout. Bon an mal an, je continuais à vivre, vous savez. Je n'avais pas perdu, c'était déjà beaucoup. Mes enfants me trouvaient plus triste qu'avant, c'est tout. La joie était partie avec Chris, c'est tout. Je m'abrutissais de travail, je comparais les conjonctions « mais » dans les poèmes d'amour de Ronsard et « *but* » dans ceux de Shakespeare.

Non. Je l'ai su un mois plus tard, peut-être plus, ou moins, je n'ai plus la notion du temps. Un jour, je regardais par désœuvrement ma page Facebook – la mienne, la vraie, celle de Claire Millecam, où il ne se passait jamais rien – et j'ai vu que j'avais un message. C'était Jo. Très aimable. Il me demandait de mes nouvelles, me disait qu'il pensait toujours à moi. T'as le temps de prendre un café ? demandait-il. J'ai accepté.

Il n'avait pas changé. Toujours aussi… Mais je m'en moquais. Je n'ai pas pu attendre plus de cinq minutes avant de lui demander d'un air faussement négligent s'il habitait toujours à Lacanau avec son copain, comment déjà, Christian, Christophe ? « Chris ? a-t-il répondu joyeusement. Mais il n'est plus de ce monde, figure-toi. À l'heure qu'il est, il bouffe les pissen-lits par la racine, ce bouffon. » J'ai eu la sensa-tion que j'allais perdre connaissance, tout mon sang s'est retiré de mon cœur, j'ai entendu ma propre voix s'étouffer comme dans du coton et dire : « Mais qu'est-ce qui s'est passé ? Chris est mort ? Qu'est-ce qu'il… – Ouais ! Il a fait le con, sa DS est entrée dans un arbre à 150, c'était pas joli à voir ! – Mais… c'est arrivé comment… l'accident ? » Je retenais mes larmes tant bien que mal tandis que Jo continuait du même ton guilleret. « Bah, c'était pas un accident. Il s'est balancé exprès dans le décor. Suicidé, le coco. – Suicidé… ? – Depuis un moment, il était en plein coaltar, il pleurait, même, des fois. Une vraie loque. Et d'après les keufs, y avait pas une trace de freinage sur la route. Tout ça à cause d'une pétasse qui l'a fait marcher pendant des mois. Marcher, que dis-je ? Courir. Galoper. Ramper. Bouffer des pierres. Y a vraiment des salopes. – Quoi ? Qui ? » Je tremblais, je n'arrivais plus à respirer. « Koiki, koiki, a dit Jo. Ouais, une meuf rencontrée sur Meetic ou Facebook, je sais plus, elle s'appelait Claire, comme toi, eh j'ai bien raison de me méfier ! Il était tombé fou amoureux d'elle, elle n'arrêtait pas de lui balancer la carotte au bout du bâton, et quand elle l'a largué, il est devenu complètement à la masse, il savait pas quoi faire de sa peau, il se traînait comme une âme en peine et en fin de compte il s'est foutu en l'air. Pour une sale pute qu'il avait même jamais vue en vrai. Plus envie de vivre. L'amour, ça rend trop con, déjà qu'il était pas bien malin… C'est pour ça, moi, t'as remarqué, l'amour, j'évite. »

Non.

Peut-être.

Non. Laissez-moi.

2

Audition du docteur Marc B.

Je sais parfaitement pourquoi je suis là devant vous, chers confrères. Je n'ai pas l'intention de me dérober à ma responsabilité, j'assume et accepte par avance toutes les sanctions que vous prendrez contre moi. Mais il est indispensable, avant de me juger, que vous compreniez parfaitement les tenants et aboutissants de l'affaire qui nous amène ici aujourd'hui. Certes vous avez tous lu le dossier de Mme Claire Millecam, certains d'entre vous l'ont rencontrée bien avant moi, et sans doute ma situation de « nouveau » dans l'établissement et mon peu d'expérience en général ne sont-ils pas étrangers aux erreurs que j'ai commises. Cependant, il y a un texte dont j'aimerais vous donner lecture, un texte de quelques pages qu'aucun de vous ne connaît, j'en suis sûr, et qui éclaire différemment, du moins je le crois, la décision que j'ai prise en toute bonne foi, indépendamment des conséquences. Il s'agit d'un extrait du roman qu'a écrit Claire ici, à l'atelier d'écriture, au fil des semaines – plus précisément, il s'agit de larges fragments rédigés de la deuxième partie de ce roman, dans laquelle elle imagine ce qu'aurait été sa vie avec Chris si elle avait osé, sans lui avouer l'imposture initiale, tenter d'avoir avec lui l'histoire d'amour qu'elle sentait possible, dont elle rêvait. En le lisant, j'ai pensé à ce que dit Lacan : « L'aventure survient dans l'imaginaire. » Elle me l'a confié à l'issue de nos premiers entretiens, je ne la trahis donc pas – pas complètement – en vous le lisant, et cette lecture me semble indispensable pour pénétrer dans l'esprit de Claire et pour tenter, en la comprenant mieux, de me comprendre aussi.

CLAIRE MILLECAM

LES FAUSSES CONFIDENCES
roman

> Ce que je veux raconter c'est une histoire d'amour qui est toujours possible même lorsqu'elle se présente comme impossible aux yeux des gens qui sont loin de l'écriture – l'écriture n'étant pas concernée par ce genre du possible ou non de l'histoire.
>
> Marguerite Duras, *Les yeux bleus cheveux noirs*

Je ne pouvais plus m'ôter Chris de la tête, j'y pensais tout le temps. L'idée que rien n'aurait jamais lieu entre nous m'était insupportable ; rompre, c'était comme renoncer à vivre. Après tout, cet homme me plaisait follement, il m'aimait, il me le déclarait, alors pourquoi abandonner ? Nos destins étaient liés, il me le répétait, il en était sûr. Pourquoi ne pas le vérifier ? J'étais comme dans un film où il n'est pas pensable de supprimer les scènes cruciales. Il m'avait écrit qu'il rentrait bientôt de Lacanau, la cohabitation avec Jo devenant pénible (je compatissais en silence. Comment ne l'aurait-elle pas été ?).

« Ah bon, avais-je écrit, que s'est-il passé ? ». En fait, Jo refusait de laisser Chris travailler sur le reportage à Goa, il avait même détruit une partie des vidéos et clichés effectués là-bas ; et puis sa famille arrivait pour les vacances. Chris avait déjà pris son billet de retour, il rentrait un lundi, trois semaines plus tard, il espérait me voir enfin. C'était le moment de tenter ma chance. Je décidai donc de le rencontrer en vrai, moi, Claire Millecam : on verrait bien ce qu'il adviendrait de l'amour. Pour cela, je devais éliminer Claire Antunès, au moins la faire disparaître du champ de Chris, sinon de son souvenir. Je réfléchis au meilleur moyen de libérer la place de cette rivale virtuelle pour qui j'éprouvais par bouffées une sorte de jalousie viscérale, indicible, un sentiment d'impuissance face à sa jeunesse, à sa beauté. Il n'y a pas de pire rivale que celle qui n'existe pas. Je ressentais à son encontre ce que doit éprouver la sœur d'un enfant mort à l'égard de ses parents : la certitude que dans leur cœur elle ne triomphera jamais de cet être idéal. Ma nièce Katia, qui languissait dans un hôpital psychiatrique après sa tentative de suicide, n'absorbait qu'une partie de mon agressivité. Certes, c'était de son image que Chris était amoureux ; mais c'était par ma faute. Et je la savais si amochée par sa dernière histoire d'amour ratée que je ne pouvais projeter sur elle mon inexcusable rancœur.

Le meilleur moyen d'éloigner Claire Antunès, c'était encore… qu'elle s'éloigne. Je décidai donc de la faire partir à l'étranger, et comme je lui avais donné à bon escient un nom portugais, elle partit s'installer… à Lisbonne. Ce n'était pas vraiment un coup de tête, expliqua-t-elle à Chris dans un message tendre mais ferme ; simplement, ses parents, qui vivaient là-bas, lui avaient trouvé un job intéressant, mieux payé que son CDD d'esclave, et comme ça n'allait plus très bien avec Gilles, elle partait pour faire le point – « je serai peut-être revenue dans quelques mois, disait-elle. Et même si nous ne nous voyons jamais, je t'aimerai toujours », écrivait-elle en guise de conclusion : je ne lui faisais pas fermer définitivement la porte, pressentant que j'aurais sans doute envie ou besoin de la rouvrir un jour. Chris me répondit qu'il était très triste, vraiment malheureux, mais qu'il m'attendrait. Il pouvait aussi venir me voir à Lisbonne, après tout il n'avait pas d'obligations à Paris, rien qui le retienne ; il ne connaissait pas le Portugal, la lumière devait y être sublime, le paradis pour un photographe. Il avait même tracé l'itinéraire idéal pour un voyage en DS par les petites routes, rêvant sur les noms des villages traversés – Zambugo, Picoto, c'était si joli ! Il espérait que je l'inviterais à venir me rejoindre – ce que je ne fis pas, et pour cause. Ce départ à l'étranger m'arrangeait aussi en ce qu'il m'obligeait, par souci évident d'économie, à interrompre nos conversations téléphoniques. Je voulais qu'il oublie ma voix, afin de pouvoir lui parler, quelques semaines plus tard, sans risque d'être démasquée sous mon autre identité. Mais je n'étais pas très inquiète. D'abord on n'entend pas de la même façon une voix au téléphone et une voix en présence. Et puis pour découvrir une chose pareille, il faut pouvoir l'imaginer.

J'entrepris de mettre en scène notre future rencontre. Il fallait que ce soit naturel, comme si le hasard se chargeait de devenir un destin. Pas question de l'accoster sur Facebook ou grâce à un intermédiaire. Je voulais jouer différemment, être unique. Par chance, il m'avait donné son heure d'arrivée en gare de Montparnasse le lundi 12. J'allais l'attendre au bout du quai – j'étais certaine de le reconnaître même parmi la foule, il m'avait envoyé plusieurs photos de lui, et puis il était grand, avec cette couleur spéciale de cheveux, rare chez un homme, un châtain tirant sur le roux, des cheveux auburn. Normalement, il serait seul. J'imaginais qu'il prendrait le métro puis le RER pour rentrer à Sevran et c'était là, dans une rame, assise en face de lui, que je lui parlerais, que nous ferions connaissance. Avant cela, j'avais trois semaines pour me préparer, je voulais être belle, sans un cheveu blanc, sans un kilo de trop, sexy et rassurante à la fois, je voulais être aimable, je voulais être aimée.

Voilà. À présent, nous sommes lundi, il n'y a pas foule dans le métro, je m'assieds en face de lui, j'ai quarante-huit ans mais je ne les fais pas, il lève les yeux, me regarde. Je lui souris, il déplace ses jambes, me sourit aussi, tristement – il doit penser toujours à sa belle envolée. Je laisse passer une station, le temps de retrouver un semblant de calme. Il est beau, avec une certaine noblesse dans le visage, des yeux gris-vert d'une couleur rare, mais il a un air fatigué, presque amer, qui le vieillit, et pas mal de cheveux gris parmi sa rousseur. J'en éprouve une douce satisfaction, d'abord parce que la différence d'âge est ainsi presque imperceptible, j'en suis sûre ; ensuite parce que j'ai désormais une mission : je vais rendre cet homme heureux. J'ai peur, pourtant, je n'ose pas agir. Mais comme je crains qu'il ne descende, je feins de le regarder avec acuité et je lui dis : « Excusez-moi. J'ai l'impression de vous connaître. Vous ne seriez pas un ami de Jo ? Vous êtes photographe, non ? » Comme il a tout son matériel dans une sacoche ouverte sur ses genoux, j'ai un peu l'air idiote. Mais il lève les sourcils avec étonnement : « De Joël S. ? Oui, pourquoi ? Vous le connaissez ? – Je suis Claire Millecam, son ancienne, enfin, une ancienne amie. – Ah oui ! » fait-il, sur la réserve. Jo a dû lui parler de moi en termes strictement sexuels, et ce souvenir le gêne, l'entrave. Ou bien est-ce mon prénom qui lui rappelle douloureusement son amoureuse perdue – je m'en veux soudain de l'avoir donné à ma rivale, quelle sottise, quel manque de perspicacité ! Mais c'est peut-être le contraire, après tout, c'est peut-être grâce à ce prénom que je vais pouvoir entrer dans son imagination, moi aussi. Je continue : « On ne se voit plus, Jo et moi, on est brouillés. Mais vous, vous habitez avec lui, je crois ? » dis-je d'un ton détaché. « Plus maintenant. On est brouillés de fraîche date, mais bien, dit-il, bien fâchés » ; et il a un sourire de discrète connivence. « Jo se brouille avec tout le monde. On pourrait fonder un club. » Il se tait, me regarde avec beaucoup de gentillesse – l'équivalent visuel de ses premiers messages – courtoisie, humour, curiosité retenue. Je crains que pour ces raisons mêmes il n'en reste là, j'enchaîne donc assez vite : « Il m'avait envoyé des selfies de vous deux, c'est comme ça que je vous ai reconnu, et une fois, il m'a montré des photos que vous avez faites, qui m'ont beaucoup plu, d'ailleurs – des paysages, des vues de vos voyages. Vous faites aussi des portraits ? Je veux dire : vous photographiez des gens ? » Il rit. « Oui oui, pas seulement des baobabs et des pandas géants. Des gens, aussi. » Je lui explique en balbutiant que je termine un essai sur Marguerite Duras et que mon éditeur va avoir besoin d'une photo pour la presse. « D'habitude, il m'envoie le photographe avec qui il travaille. Mais je peux lui demander de changer… Si ça vous intéresse ? – Bien sûr que ça m'intéresse. Pour être honnête, je cherche du taf, je n'ai plus une thune. Ce serait très cool. » Il me regarde, plus scrutateur, appréciateur. « Et en plus, ce serait très agréable. Tu veux qu'on le fasse quand ? » Je rougis non du compliment, mais du tutoiement, c'est comme s'il posait sa main sur moi. J'éprouve aussi la chaleur de la jalousie devant son aisance à lier connaissance, à être de plain-pied avec l'autre, dans une simplicité confiante. Je pense à toutes les femmes de Facebook, à toutes les femmes du métro, du train, à toutes les femmes dans toutes les rues. « Euh, je ne sais pas. Tu es à Paris ? – Non, je loge à Sevran, chez mes parents, provisoirement j'espère. Mais je viens quand tu veux avec ma vieille DS, comme ça on peut aller faire des prises à la campagne, ça changerait. Sauf si tu préfères l'éternelle pose de l'auteur assis au Flore, le menton dans la main. » Je ris, je secoue la tête. « Alors, it's a deal. » Je lui demande son numéro de téléphone, il prend le mien. « Ah je descends là. – Je t'appelle, dis-je pendant qu'il rassemble ses affaires. – C'est cool, dit-il. Heureux de cette rencontre. À très vite. » Et il descend. Je le vois s'éloigner sac au dos sur le quai. Au moment où la rame repart, j'aperçois dans une poubelle métallique une rose sous cellophane, tragicomique dans son vase imprévu. Est-ce un mauvais signe du destin ? Je n'y pense même pas. Je crois que je lui plais. J'attrape dans la vitre noire mon reflet aux yeux pers. Oui, je lui plais.

Nous nous sommes très vite installés ensemble – ou plutôt, il est venu aussitôt habiter chez moi. Il n'avait pas de quoi payer un loyer parisien et moi j'avais de la place, surtout quand les enfants n'étaient pas là. Je m'étais toujours promis de ne pas reproduire l'erreur conjugale qui consiste à partager la même chambre. Je voulais préserver cette sensation vierge et intense que j'avais éprouvée quand nous nous étions embrassés la première fois, juste après la séance photo. Nous regardions tempe contre tempe au-dessus de son appareil les portraits qu'il avait faits, quand nous avions tourné la tête en même temps ; nos lèvres s'étaient effleurées, puis sa langue avait tâtonné sur ma bouche, à l'intérieur de ma bouche, ensuite il était parti assez vite, il avait un rendez-vous, oh pourvu que ça recommence, que ce soit toujours aussi fort, à la fois plus lent et plus rapide que le temps ordinaire, comme une accélération au ralenti du pouls de la vie, un sentiment éphémère d'infini, oh rendez-moi ce commencement ! C'est dans l'espoir de retrouver chaque fois la première fois que j'ai aménagé le salon pour Chris, je me disais « s'il se sent libre, il restera », l'amour c'est rester alors qu'on pourrait s'en aller. J'ai mis la télévision dans la salle à manger pour les enfants, j'ai acheté un canapé-lit et un bureau afin qu'il puisse travailler à ses photographies, il a posé une sorte de cloison japonaise entre les deux pièces, rangé ses quelques vêtements dans ma penderie, et la vie commune a commencé. En réalité, on dormait ensemble presque toutes les nuits, dans mon lit le plus souvent, quelquefois dans le canapé, j'allais parfois l'y rejoindre au milieu de la nuit, le réveillant de mes caresses, il répondait toujours, je faisais très attention à son plaisir parce qu'il se confondait avec l'amour. « Je sens ton amour », disait-il quand sa jouissance montait dans ma bouche, « mon amour », chuchotait-il à mon oreille avant nos sommeils enlacés, chaque étreinte renforçait la connaissance que nous prenions l'un de l'autre. Mais je repartais souvent au petit matin, par peur que mes yeux gonflés et ma peau sans maquillage ne lui rappellent ce qu'il ne semblait pas se rappeler. Moi qui prétends mépriser la mascarade féminine, j'entretenais un naturel très étudié, une jeunesse d'allure qui correspondait à ma juvénilité intérieure.

Il m'a demandé de l'appeler Chris et non Christophe, sans savoir que je l'appelais Chris depuis des mois, que je murmurais son prénom en moi-même vingt fois par jour, et aussi à mon oreiller, comme une adolescente. Lui m'a tout de suite appelée Clé – « Clé, ma Clé. On prend la Clé des champs, ce week-end », disait-il quand nous partions à Dieppe manger des moules-frites dans sa DS ou bien rouler pour rien, juste pour le plaisir ; « tu es la Clé de mes songes », chuchotait-il en me serrant contre lui, la nuit, ou bien encore, parcourant des doigts mon visage aux yeux clos, « la clé du mystère », disait-il, et alors je tremblais. Mais j'ai chassé rapidement la pensée qui me parasitait l'esprit les premiers temps : qu'il m'appelait Clé pour ne pas prononcer le prénom de Claire, le prénom de l'autre.

Nous ne sortions pas beaucoup, ou séparément, nous ne mêlions pas nos amis, d'un accord tacite nous nous en éloignions. Il allait quelquefois garder le chien d'une ex – « c'est une amie, rien de plus », disait-il en riant de mon silence –, je voyais de loin en loin un collègue ou une partenaire de tennis à qui je ne parlais pas de Chris. Nous menions ce qu'on peut appeler littéralement une vie privée. Mais nous ne nous privions de rien, et rarement l'un de l'autre. La disposition des lieux était telle qu'il pouvait travailler de son côté et moi du mien. J'allais en cours, il sortait faire des photos, nous nous retrouvions vite. Quand les enfants étaient là, il leur montrait comment cadrer, ils écoutaient du rock ou regardaient des séries. Je ne sais pas s'ils avaient bien compris que nous étions ensemble, à cause des deux pièces séparées, mais ils adoraient Chris – « il est trop cool », disaient-ils en chœur. Il est vrai que sa nonchalance faisait merveille pour dégonfler les disputes. Quand nous étions seuls, nous restions de longs moments couchés à écouter de la musique ou à lire, ou bien nous nous lancions dans des recettes de cuisine compliquées pour finir au bistrot du coin. Nous nous entendions jusque dans les silences, et le rire venait à bout de tous les différends.

La question de l'argent avait été tout de suite évoquée, et réglée. Il n'en avait pas, ses parents ne pouvaient pas lui en prêter, il touchait le RSA et prenait tous les petits boulots qui se présentaient, pourvu qu'ils soient en rapport avec la photo. Je savais déjà tout ça, mais je l'ai écouté avec attention car la partie se jouait là, je le sentais. Ce qui est encore si ordinaire pour une femme – dépendre financièrement de quelqu'un, et souvent d'un homme plus âgé – reste une épreuve pour un homme. Et notre différence d'âge n'arrangeait rien. Le mot « gigolo » flottait pas loin, le mot « cougar » me menaçait, il fallait s'en débarrasser. Alors je lui ai dit que l'argent était une chose mobile, une chose qui circulait, qu'aujourd'hui c'était moi qui en avais, demain ce serait lui, ça n'avait aucune importance. Ce raisonnement lui a plu, il signifiait que je croyais en son talent, que je faisais juste une avance de fonds sur ses succès futurs. Et j'ai usé de mes réseaux pour lui trouver du travail : des photos de monuments, du portrait professionnel. De son côté, il proposait des books à des comédiennes, et je m'efforçais alors de faire taire ma jalousie. Il ne manquait jamais une occasion de compenser son manque d'argent par de petites attentions : une rose, des croissants, un cocktail au bar. Le reste de ce qu'il gagnait servait à payer l'essence, l'entretien de sa DS et son matériel photo. Le creux de son cou, celui où Claire Antunès avait tant désiré poser ses lèvres, était tendre et chaud sous les miennes.

Des mois ont ainsi passé, dans un doux bonheur. Nous fûmes heureux comme vous rêvez tous de l'être. Et puis un jour, le mal est arrivé par ma faute, par ma seule faute, parce que je suis folle. Voici comment. J'examinais avec mes étudiants de licence l'influence qu'eut le Tasse sur les écrivains et artistes européens depuis le XVIe siècle (l'enseignement qui parfois m'avait pesé m'était maintenant une grande joie. Tout ce que je faisais était comme équilibré aussitôt par la présence de Chris). Nous étudiions donc l'histoire de Renaud et Armide telle que le Tasse la raconte dans *La Jérusalem délivrée*. Renaud, valeureux chevalier, est fait prisonnier, lors de la première croisade, par une belle magicienne païenne, Armide. Celle-ci a l'intention de le tuer ainsi que tous ses compagnons chrétiens, mais elle tombe amoureuse de lui. Afin d'en être aimée en retour, elle lui fait boire un philtre magique qui le place et le maintient sous son emprise amoureuse. Dès lors, le chevalier oublie sa mission sacrée. Il s'alanguit dans la vie merveilleuse que lui offre la magicienne. Celle-ci l'a débarrassé de son armure et de son épée, l'a revêtu de somptueux habits ; elle crée pour lui des festins, des jeux, des concerts, lui prodigue mille caresses et invente mille voluptés. Leur amour se déploie durant de longs mois, dans le plaisir et la paresse. Mais les croisés de Godefroy de Bouillon ne se sont pas résignés au sort de leur ami et refusent de l'abandonner à un destin si méprisable. Ils finissent par trouver le moyen d'accéder jusqu'à lui en l'absence d'Armide. Renaud est là, couché sur un lit paré de riches étoffes, entouré de mets raffinés, de carafes aux vins liquoreux. Ils lui tendent un bouclier afin qu'il voie ce qu'il est devenu. Et Renaud, qui ne se contemplait plus que dans le miroir magique tendu par sa belle, découvre soudain son vrai reflet, celui d'un homme alangui, amolli dans les coussins, vêtu comme un galant, désarmé. Ses anciens compagnons n'ont aucun mal à le persuader de reprendre avec eux le chemin de la conquête. Il se lève, récupère ses armes et s'apprête à les suivre.

C'est là que la légende et mon récit, hélas, se rejoignent. Armide, découvrant la décision de Renaud, est gorgée de tant d'amour qu'elle ne croit pas que son amant, si épris d'elle depuis des mois, puisse la quitter. La force de leur passion, dont ils se donnent toujours de plus tendres preuves, est désormais si grande qu'aucun sortilège n'est plus nécessaire, pense-t-elle. Dans l'opéra de Lully, ils chantent même en duo un air admirable, j'avais failli pleurer en le faisant écouter à mes étudiants : « *Non, je perdrai plutôt le jour, Que d'éteindre ma flamme, Non, rien ne peut changer mon âme. Non, je perdrai plutôt le jour, Que de me dégager d'un si charmant amour.* » Armide, donc, sûre de la puissance amoureuse, se jette aux pieds de Renaud, lui avoue les charmes dont elle a usé avec

111

lui, jure de les abandonner. « Je t'aime, lui dit-elle. Je t'ai trahi, je t'ai menti. Mais la seule vérité, c'est que je t'aime. Garde-moi avec toi. Pour l'amour de toi, je suis prête à tout, je peux même me convertir à ta religion si tu l'exiges. » Renaud hésite, il contemple avec amour et tristesse le beau visage de l'enchanteresse. Mais il souffre de tant de trahison. À la fin, le devoir du héros est plus puissant que tous les sentiments. Il s'arrache à la douceur suppliante d'Armide et la quitte à jamais.

J'avais raconté cette histoire à mes étudiants, et je n'arrivais plus à la sortir de ma tête, elle m'obsédait. Une question tournait en boucle dans mon esprit : si je lui avouais mon imposture passée, Chris m'aimerait-il toujours ? Serait-il choqué d'avoir été ainsi manipulé ? Au point de me quitter ?

En réalité, si je suis tout à fait honnête, ce n'était pas vraiment cette question-là qui me hantait. La vraie, la seule térébrante interrogation que j'avais était celle-ci : est-ce que Chris pensait toujours à Claire Antunès ? Dès que je le voyais pensif, ou qu'il me semblait plus distant, moins attentif, ces questions me taraudaient. L'aimait-il encore ? L'aimait-il plus que moi, d'un amour plus pur, tel celui de Renaud pour sa mission sacrée ? D'un amour inconditionnel ? N'étais-je qu'un pis-aller, une consolation de l'avoir perdue, elle ? Et la jalousie me corrodait.

C'est pour fuir mon envahissante angoisse que j'ai décidé de mettre notre amour à l'épreuve. Mais moi, j'avais beaucoup plus de doutes qu'Armide, même si rien dans l'attitude de Chris ne les justifiait durablement : il me témoignait tous les signes de la tendresse et du désir. Je n'avais aucune raison objective d'éprouver la solidité de notre lien. Je ne sais pas pourquoi je l'ai fait. Je l'ai fait. J'ai ressuscité Claire Antunès.

Tout a été soigneusement préparé. Je ne pensais plus qu'à ça – à vérifier l'amour. J'ai d'abord ressorti le portable que j'avais caché dans une boîte à chaussures au fond de mon placard. Je n'avais pas résilié le forfait à deux euros, j'avais oublié de faire la démarche. J'ai rechargé la batterie. J'ai réécouté en tremblant les derniers messages que m'avait laissés Chris, des mois plus tôt. Sa voix triste m'a serré le cœur, mais c'était de jalousie – une jalousie immense, ravageuse, folle. Son passé anéantissait ma vie présente. J'ai mis au point mon stratagème. Je sentais bien qu'il aurait fallu renoncer, ne pas jouer avec le danger, mais je ne pouvais plus reculer, l'angoisse avait pris toute la place.

L'idée était que Claire Antunès ressurgisse sous forme d'un ultimatum amoureux : n'ayant pu oublier Chris durant ces mois de silence et d'éloignement, elle avait rompu avec son fiancé et voulait désormais le rencontrer enfin, lui, vivre avec lui, car elle l'aimait, elle n'avait plus aucun doute à ce sujet. Elle ignorait où il en était dans sa propre existence, mais s'il l'aimait toujours, lui aussi, il devait tout quitter sur-le-champ et la rejoindre le soir même au Café français. Elle y serait de 21 heures à 22 heures, pas davantage. Il ne devait pas chercher à lui parler par téléphone, seulement venir, faire acte de présence, littéralement. S'il ne venait pas, il n'entendrait plus jamais parler d'elle. Voilà le message à la fois tranchant et exalté que Chris allait recevoir de ma part, sous forme de sms émis par mon téléphone secret, le soir même, alors que nous nous installerions en terrasse de notre restaurant favori, à deux pas de chez moi.

Au début, j'ai seulement envisagé ce test « à vide » : si Chris allait au rendez-vous, bien sûr il n'y trouverait pas Claire Antunès, et il me perdrait, ou je le perdrais, je ne savais plus trop. À moins que je ne lui pardonne. Mais peu à peu, pour que l'expérience mette un comble à mes soupçons jaloux, j'ai imaginé placer en face de lui, au Café français, la splendide jeune femme brune dont il avait tant contemplé la photographie : ma nièce Katia. Depuis sa tentative de suicide, je ne la voyais presque pas, et toujours en cachette de Chris, bien sûr ; il ne connaissait même pas son existence. Katia, après un long séjour en maison de repos dans le Sud-Ouest, était venue chercher du travail à Paris. Elle habitait depuis un mois rue de la Roquette, seule et toujours assez déprimée. Je ne savais pas au juste ce qui l'avait désespérée au point de lui faire avaler un tube de somnifères, quelque temps après avoir emménagé à Rodez. Une histoire d'amour qui avait mal tourné, sans doute, mais elle n'avait jamais voulu m'en dire davantage, et je n'avais pas insisté. Bref, en proie à mon délire jaloux, je lui ai donné rendez-vous ce soir-là à 21 heures, au Café français. Dans mes cauchemars éveillés, Chris s'avançait vers elle, assise à une table près du bar, il s'asseyait en face d'elle, lui prenait les mains, muet, ravi – ce n'est pas souvent qu'un rêve devient réalité. Puis la scène recommençait ad nauseam, jusqu'à ce que je me secoue pour ne pas hurler de chagrin.

Le soir arrive. Je propose à Chris d'aller dîner Chez Tony, un restaurant du quartier où nous avons nos habitudes, il n'y a plus rien dans le frigo. « Tu veux que j'aille chercher des pizzas ? » me dit-il en m'enlaçant – son ventre dans mon dos, sa bouche dans mes cheveux. Je dis que non, qu'il fait beau, qu'on sera bien en terrasse. J'ai préparé sur l'écran du téléphone secret, caché sous les paperasses de mon bureau, le texte du sms de Claire Antunès, je n'ai plus qu'à appuyer sur Envoyer, je pourrais encore ne pas le faire, je le fais juste avant de claquer la porte et d'appeler l'ascenseur. Nous descendons, nous marchons jusqu'au restaurant, il me tient par la taille, nous nous asseyons, nous regardons le menu. Chris ne consulte pas son téléphone, il n'a peut-être pas entendu le bip du texto, ou bien, plus probablement, il savoure ce moment, il n'attend rien ni personne, il a l'air détendu. Je n'y tiens plus, tout mon corps tremble à l'intérieur, mon ventre palpite de l'impatience de savoir ce qu'il est vraiment, ce que je suis pour lui, ce que je suis. La machine est enclenchée, la peur ancienne revient, celle de ne pas être l'objet de l'amour. Ce n'est pas moi, c'est l'autre : voilà ce que j'ai toujours pensé, toujours. Une maxime de La Rochefoucauld me revient à l'esprit, je l'ai donnée en dissertation à mes étudiants. « Dans l'amitié comme dans l'amour, on est souvent plus heureux par les choses qu'on ignore que par celles que l'on sait. » Sans doute est-ce vrai. Mais désormais il est trop tard pour ignorer ; dans une poignée de secondes, je vais savoir. « Quelle heure est-il ? dis-je. On a peut-être le temps de se faire un ciné, après ? » Il ne répond pas, il étudie la carte des vins, un petit sourire aux lèvres. « Tu peux regarder ? dis-je en désignant d'un geste la poche de son jean. Je n'ai plus de batterie. » Sans quitter la carte des yeux, Chris sort son téléphone, l'ouvre comme au ralenti, y jette un coup d'œil, se fige, fronce les sourcils. « 20 h 42. » Sa voix s'étrangle légèrement, ou bien est-ce moi qui n'ai plus de souffle ? Il lit le texto, puis son regard vacille aussi, ne sait plus où se poser. J'ai mal. « Tu n'irais pas jusqu'au tabac ? j'ai envie de fumer », dis-je pour échapper à la souffrance que sa vue m'inspire – qu'il parte, qu'il s'en aille, qu'il m'épargne le spectacle de son indécision ! Il se lève comme un automate, bredouille « oui oui, j'y vais », pose une main sur mon épaule – sa main si forte, presque rude, qui contraste avec la douceur qu'elle prodigue –, j'aperçois dans l'entrebâillement de sa chemise son cou délicat, le creux où j'aime poser mes lèvres, je voudrais le faire encore avant qu'il parte mais il s'éloigne déjà. « Je reviens », dit-il. Le garçon arrive, je commande du rosé. Quand il apporte le pichet, je remplis nos deux verres. Je bois le mien à petites gorgées, les yeux fixés sur le sien. « Je reviens. »

Là s'arrête le roman de Claire – de Mme Millecam. En tout cas, le récit écrit d'une traite. Car le cahier se poursuit, vous voyez, chers confrères, mais après plusieurs pages blanches, comme pour marquer l'espace temporel, et avec un autre stylo, une écriture plus saccadée. Il y a beaucoup de ratures, contrairement au premier jet. Certains paragraphes sont rayés, totalement noircis au feutre, d'autres sont de simples notes lisibles. Sans doute Claire a-t-elle eu du mal à décider d'un dénouement : elle avait tellement été dans l'angle ouvert des possibles, elle avait tellement rêvé, cauchemardé, fantasmé avec son amour, sa jalousie, son désir, ses doutes, qu'il lui était probablement difficile de condescendre à une vraie fin, c'est-à-dire à une seule fin. Dans un scénario de film, remarquez, ça pourrait très bien finir ainsi – et dans un roman aussi, d'ailleurs : elle reste assise à la terrasse, son verre de rosé à la main. On coupe le dernier plan avant qu'elle ne commence à boire l'autre verre, ou bien après, c'est selon. L'attente, le désespoir et le passage du temps se lisent dans le contenu des verres. À moins de choisir le happy end, de le voir revenir du bout de la rue, marcher vers elle sur le générique de fin, Patti Smith, *Because the night belongs to lovers,* ou bien cette autre chanson qu'elle adorait, qu'elle me faisait parfois écouter sur son iPod pendant nos séances, *One day baby we'll be old.*

Mais je vous lis la fin telle que Claire l'a finalement écrite – Claire ou quelqu'un d'autre, je ne sais pas trop, l'écriture semble un peu différente. C'est intéressant parce qu'on entend le point de vue de l'homme. C'est Chris qui raconte la fin. Et par rapport à ce qui a suivi, ce dénouement n'est pas dépourvu de sens, vous allez comprendre pourquoi. Moi, c'est cette fin qui m'a poussé à faire ce que j'ai fait. Alors écoutez – deux minutes encore.

Je ne savais plus quoi faire quand j'ai lu le sms. Clé m'a demandé d'aller chercher des clopes, ça tombait bien, j'avais besoin de reprendre pied. J'ai marché comme un zombie jusqu'au coin de la rue, puis j'ai checké Claire sur Facebook. Son mur n'avait pas bougé, les derniers posts dataient de plusieurs mois : une photo du Portugal qui semblait sortie d'une agence de tourisme, trop naze, et c'était tout. J'ai relu à la va-vite quelques-uns de nos anciens échanges en mp, j'avais les jambes qui tremblaient. Ça m'a surtout fait quelque chose de revoir sa photo : cette beauté simple et lumineuse, ce sourire aux lèvres charnues, aux dents parfaites, ces longs cheveux bruns aux reflets soyeux. Et ses seins ronds qu'on devinait sous le pull sage. Elle aurait pu être modèle. Le genre de fille dont tous les mecs rêvent, la parfaite *trophy girl*. Le tabac était fermé. Je pouvais aller à celui de la brasserie Georges, mais ça faisait loin, Clé allait m'attendre. Alors je suis remonté à l'appart', c'était bien le diable s'il n'y avait pas une Camel qui traînait par là. J'en ai trouvé un vieux paquet dans le vide-poche de l'entrée. Je me suis assis deux minutes pour réfléchir. Qu'est-ce que j'allais répondre à Claire ? L'envoyer bouler par sms, ce n'était pas très classe. Mais après tout, son come-back mélodramatique, c'était pas top non plus. Qu'est-ce qu'elle croyait ? Que je m'étais pétrifié en statue d'éternel amant, alors qu'on ne s'était même jamais rencontrés ?! Tu rêves, ma grande ! je ne savais pas quoi lui répondre. « Sorry, Claire, je vis avec quelqu'un. Elle s'appelle Claire aussi. » Ou juste : « Désolé, je ne suis pas à Paris. » Ou simplement : « *Welcome in France*. Bonne route, Claire. Bisous. » Ou rien. Nada. Ne pas répondre. Laisse béton. En même temps que je réfléchissais, affalé sur le canapé du salon, les yeux fixés sur les petites pantoufles écossaises de Clé qui traînaient sous la table, comme d'hab, je repensais à notre bizarre histoire d'amour, à Claire et à moi. Elle devait être un peu folle pour poser des ultimatums de ce genre sans me connaître. Mais j'aimais ça, j'étais bien obligé de me l'avouer. Cette impulsion, cette façon d'y aller à l'instinct, pour vaincre sa pudeur, pour brûler les étapes, enfin. C'était barré, irraisonné – terriblement féminin, quoi ! Loin du gentil train-train de ma vie, si ennuyeux parfois. Je ne pouvais pas finir ainsi, sur un silence casanier. Il fallait que je lui parle, que je lui explique. Elle ne voulait pas que je lui téléphone, elle voulait que je vienne ; mais moi, je n'étais pas obligé d'obéir, je pouvais jouer comme je l'entendais. Bon, je courais un petit risque d'être réenvoûté par sa voix, car je me souvenais de l'emprise qu'elle avait sur moi, dans le temps. Dans le temps… C'était si loin, déjà. Clé avait pris toute la place, tout de suite, et son amour avait gagné le mien – en tout cas, j'avais la belle vie avec elle. Pourtant, je ne pouvais me résoudre à la rejoindre au restaurant. Il fallait que je parle à Claire, avant. J'ai regardé mon téléphone une minute encore, béant comme un imbécile – je me concentrais sur ce que j'allais lui dire, ou sur le message que je lui laisserais si, comme je le pensais (comme je l'espérais ?), elle ne décrochait pas – et finalement, j'ai fait son numéro. La sonnerie a retenti, une fois, deux fois, trois fois, et à la fin de la quatrième, j'ai raccroché, le cœur battant, sans laisser de message après la voix robotisée. Ce n'était pas la peur qui m'en avait empêché, mais l'évidence incompréhensible, au fil des sonneries, qu'elles retentissaient non pas seulement dans le téléphone, mais aussi, exactement de la même façon et au même moment, *dans l'appartement*. J'étais tellement abasourdi par la coïncidence que je refis aussitôt le numéro de Claire. Vérification indéniable : ça sonnait. Un téléphone sonnait dans la chambre de Clé.

Me guidant à l'oreille, j'eus vite fait de tomber sur un petit appareil bon marché jamais vu entre les mains de Clé, qui ne se servait que de son iPhone. J'ouvris le clapet avec le sentiment qu'une catastrophe était en train de se produire : ce simple geste allait m'exploser à la gueule, j'en étais sûr, je venais de dégoupiller la vérité.

Les sms que j'avais échangés avec Claire Antunès, les photos que je lui avais envoyées, tout était là, et rien d'autre. Je pianotais comme un dingue sur le minuscule clavier sans qu'aucune explication vraisemblable parvienne à mon cerveau torpillé. Clé avait-elle piraté mon propre téléphone, copié mes textos ? Elle en qui j'avais la plus entière confiance. Mais non, non, puisque le numéro, le *fucking* numéro de ce putain de téléphone était celui de Claire Antunès. Et que dans le répertoire que j'ouvrais maintenant, il n'y avait qu'un seul contact : moi. Qu'un seul numéro : le mien. J'appuyai sur la touche de la messagerie et restai suspendu dans l'espace de la chambre comme une chaussette dépareillée sur un fil : ma propre voix, ma voix de pauvre con, tout enfarinée, mielleuse, attristée, me susurrait des niaiseries à l'oreille, des projets, des regrets, des serments. J'avais l'air débile, et pas que l'air.

Je restai prostré cinq bonnes minutes, la tête en vrac, avant de comprendre vaguement l'arnaque. C'était tellement tordu que je n'arrivais pas à faire le lien avec Clé, si droite, si digne. À ce sentiment de stupéfaction, joint à un arrière-goût d'humiliation, se mêlait une certaine admiration. Les femmes m'apparaissaient toutes, soudain, comme une espèce supérieure, totalement inconnaissable, grandiose, en un sens. Et en un autre, complètement à la masse. Comment, pourquoi tout ce cirque ?

La jalousie. La jalousie morbide des femmes.

Ça n'expliquait pas tout, loin de là, mais ça venait colmater une interrogation douloureuse sur le personnage que j'avais joué à mon insu dans cette pièce obscure, et pendant tout ce temps. La jalousie, c'est de l'amour. L'amour est une explication qui soulage un peu. Passé la stupeur première, une autre question s'imposa. Quelle devait être la suite du traquenard ? N'étant pas censé découvrir l'embrouille, qu'étais-je supposé faire ? Revenir m'asseoir à sa table comme si de rien n'était et boire un verre de rosé avec elle – son triomphe ? Ou bien me rendre au rendez-vous de Claire Antunès à Bastille et… Et quoi ? Clé avait sans doute prévu de surgir peu après et de jouir de mon ébahissement, de ma honte, avant de me reprocher mon infidélité, fût-elle virtuelle, ou de m'agonir d'injures. J'étais partagé entre la rage et le rire, mais j'étais surtout obligé de m'avouer une chose : le sourire de Clé, qui s'affichait sur la photo de nous accrochée au-dessus de son bureau, ne me consolait pas de l'évidence qui me trouait maintenant la conscience : Claire Antunès n'existait pas. Cette fée n'était qu'un fake, mon rêve un avatar ; j'avais aimé du vent. La sensation physique, organique, de la manipulation me donna envie d'aller jusqu'au bout. Au moins, j'allais prolonger un peu l'embrouille et la faire souffrir pour de bon, cette espèce de monstre qui jouait à se faire peur après s'être jouée de moi. J'étais perdu, je ne savais pas si je l'admirais ou si je la méprisais, si sa folie me ravissait ou me révoltait.

Je me levai d'un bond, attrapai un sac de voyage, fourrai dedans quelques affaires à moi, et tout mon matériel photo, laissant ma chambre ostensiblement vide. Vrai départ ou mise en scène ? je l'ignorais moi-même. Il était pas loin de neuf heures. Avant de sortir, je pris soin d'effacer sur son portable la trace de mes deux appels.

Elle était en train de boire du rosé à la terrasse de Chez Tony, assise de trois quarts elle ne m'offrait qu'un profil fuyant, qui me parut triste ; la carafe était presque vide. Je continuai mon chemin sans me montrer et courus presque jusqu'au lieu de rendez-vous. Je l'aimais toujours, mais qui ?

À présent, je suis assis au Café français, je bois un pastis, je regarde la place, les voitures, les bus, il faudrait prendre une photo pour immortaliser l'instant – l'instant mortel. Et si Clé ne venait pas ? Qu'est-ce que je fais là, avec mon sac de voyage, si Clé ne vient pas, si la rupture est consommée ? Est-ce que ce soir je coucherai chez mes parents à Sevran, et demain matin je boirai le café avec ma mère qui me demandera des yeux pourquoi je rate toujours tout ? Non, non et non. Je veux qu'elle vienne, je veux lui faire payer ce jeu pervers. Elle m'aime. Je vais jouer la plus grande froideur avant de la prendre dans mes bras – peut-être. Ça dépendra de son sourire, je ne suis pas son esclave non plus. Des souvenirs affluent à mon esprit, le passé défile comme si je venais d'avoir un accident. Comment a-t-elle pu ourdir une manigance aussi tordue ? Inventer un CV, inventer Gilles, inventer le Portugal, inventer l'impossible ? Pourquoi a-t-il fallu que…

C'est alors que je l'ai vue, elle. Ce fut comme une apparition. J'ai tourné la tête en quête du garçon, qu'il me remette ça, et elle était là. Tout en noir, ses beaux cheveux bruns tirés en arrière, l'air triste, mais c'est elle, je la reconnais. Mon cœur galope, je n'y comprends rien, mais ce qui s'appelle rien. De loin, nos yeux se rencontrent. Elle me regarde, puis détourne la tête simplement, sans expression particulière, ses yeux se posent ailleurs. Tout s'embrouille, je ne suis pas fait pour tant d'émotion, pour tant d'énigme. Ma poitrine est un puzzle menacé d'explosion.

Alors je me suis levé, j'ai marché jusqu'à sa table,

j'ai posé mon sac de voyage dessus. Claire ? ai-je dit presque brutalement. Elle a relevé la tête, sa bouche est légèrement entr'ouverte, sa peau est une splendeur, ses yeux étonnés hésitent à sourire, elle lève les sourcils d'une façon adorable. Je m'appelle Katia, dit-elle.

Voilà, chers confrères. Fin du cahier. Étrange, n'est-ce pas ? Un document, et bien davantage. Alors, comment vous expliquer ? En le refermant, il m'a paru évident que ce qui dominait la vie de cette femme, enfin, de cette patiente, c'était la culpabilité. Une culpabilité si dévorante que même lorsqu'elle imaginait comment l'histoire aurait pu s'écrire autrement et lui donner du bonheur dans la réalité, elle lui inventait une fin triste, s'infligeait une punition qui la laissait dans la solitude et le remords. Sa pathologie relevait sans conteste d'une sévère hystérie selon la définition que nous connaissons tous : un désir d'insatisfaction. Il fallait que ça rate, voilà comment on pourrait résumer l'histoire. Je ne vous ferai pas l'injure de vous rappeler l'importance du masochisme chez de nombreux sujets, notamment les femmes – j'ai moi-même soutenu ma thèse sur « La destructivité et la pulsion de mort dans les névroses féminines ». Chez Claire – chez Mme Millecam – enfin, dans son roman, on pourrait même parler de la quête éperdue d'un « point de catastrophe », d'une volonté d'obtenir la preuve de son incapacité à être aimée, j'appellerais volontiers cela « un désir du désastre ». Il s'allie sans doute au vœu inconscient de payer quelque chose, de s'autoflageller. Le suicide de sa nièce (qu'elle dénie dans son roman, tant cela lui est insupportable) n'y est évidemment pas étranger – elle se punit de n'avoir su la protéger malgré la promesse faite à son frère – mais les racines de sa culpabilité s'enfoncent sans doute bien plus loin dans le passé : une faute infantile refoulée, une dépression maternelle, un vœu de mort dans la fratrie, que sais-je ?

Cependant – et c'est là qu'assurément vous pouvez me blâmer –, au lieu d'aller rechercher avec elle dans son enfance ce qui la maintenait depuis trois ans dans cette position dépressive, coupable, tantôt agressive tantôt passive, quasi apragmatique, j'ai décidé d'aller chercher dans la vie réelle de quoi la sortir de son isolement – de son internement : la sortir de là. Elle me rappelait Roger, un malade que j'ai rencontré quand j'étais en stage aux Ormeaux, à Blois. Il s'occupait de l'atelier d'apiculture depuis vingt ans, il ne faisait que ça, s'occuper des ruches, récolter le miel, envisager des élevages de reines… Comme l'avait souligné mon maître à l'époque, le docteur Aury, il s'était transformé en abeille. Eh bien, pour Claire, c'était un peu pareil : elle s'était transformée en attente. Elle attendait, elle était entièrement occupée à ça : attendre. Qu'est-ce qu'elle attendait ? Rien, justement. Elle attendait un mort, qu'il revienne, elle attendait l'amour, qu'il arrive, elle attendait le pardon, qu'il lui soit donné ? Peut-être. Mais plus probablement, elle attendait rien. Ce n'était pas négatif, ce n'est pas une phrase négative, même si c'est moins objectivement productif que d'élever des abeilles. L'attente était devenue son être, l'attente avait dissous l'objet de l'attente. Elle était statufiée dans cette posture, un deux trois soleil éternel, Pénélope sans prétendants, Pénélope sans retour d'Ulysse, mais qui s'obstine à défaire la vie qu'elle pourrait vivre.

En commençant l'enquête dont vous avez connaissance, j'avais donc comme seul objectif de lui trouver une échappatoire, de lui enlever le poids de son écrasante culpabilité, de la remettre en mouvement, qu'elle puisse au moins sortir de ce terrifiant arrêt sur image. De plus, il me semblait intuitivement, et la suite a montré que sur ce point j'avais vu juste, il me semblait que les choses ne s'étaient pas passées ainsi. Je savais qu'elle était arrivée ici divagante après une décompensation sévère, puis revenue après chaque sortie, victime d'une nouvelle bouffée délirante – ou bouffée désirante, comme dirait le docteur Besse –, j'avais lu les rapports. J'ai d'abord pensé que peut-être elle mentait, elle affabulait depuis le début, qu'elle inventait tout ce qu'elle racontait – pour cacher autre chose, ou garder le contrôle. Car elle essaie de tout maîtriser, par le mensonge ou par le rire. Mon prédécesseur avait noté son goût pour la fiction et pour les histoires drôles – pour les histoires en général. Elle aime raconter. Il indiquait d'ailleurs la différence, chez elle, entre l'ironie, qui blesse ou détruit, et l'humour, qui est une force vitale, qui restaure. Notre patiente manie très bien les deux, elle agresse ou elle détend l'autre, mais c'est toujours une façon de se protéger. Les blagues tiennent le réel à distance, l'ironie aborde le tragique tout en s'en gardant, elle fait de l'esprit pour ne pas périr. Ou encore elle invente, elle crée. Briller, c'est son idée de la liberté – la fable, un moyen d'échapper à la folie pure. Une sorte de délire organisé, vous voyez. Mais ce n'est pas important que ce soit vrai. L'important, c'est qu'elle le dise. Ou qu'elle le croie.

Enfin, d'une façon ou d'une autre, à son insu ou non, pour moi cette histoire était bizarre : Chris, ce dragueur d'Internet, ce grand gaillard habitué à barouder, qui se suicide pour une fille qu'il n'a vue qu'en photo… Je sais bien que ça existe, qu'on peut mourir de ce qui n'arrive pas, qu'une décompensation psychotique est toujours possible, qu'il y a des petits garçons perdus dans de grands corps d'hommes et que les mamies sont pleines de petites filles, mais à ce point-là ? Pour moi ça ne cadrait pas. Quelque chose clochait. Je n'y croyais pas. Certes, il avait disparu des écrans radar. Il n'y avait plus trace de lui sur Internet, d'autant plus que Claire n'avait jamais su son nom propre, seulement son prénom, Christophe, et son pseudo Facebook, KissChris – c'est fou, quand on y pense, une histoire d'amour entre pseudos : comme dans un roman, au fond, des créatures de fiction.

Alors, j'ai décidé de retrouver Jo, le seul témoin supposé de l'affaire, afin de tirer les choses au clair. J'ai voulu savoir, je le reconnais, il y avait aussi de la pure curiosité – sur les ressorts humains, la logique humaine, l'humanité. Ce que Claire m'avait dit de Jo dessinait un vrai portrait de pervers narcissique, et là-dessus je ne me trompais pas. J'ai obtenu de Claire, comme en passant, le nom de famille de Jo, sans rien lui dire de mes intentions. Il n'était pas dans l'annuaire. Je savais qu'il avait une maison à Lacanau, j'aurais sûrement pu le retrouver ainsi, mais j'ai fait plus simple : je l'ai cherché sur Facebook. Il y était. Je me suis présenté en message privé, j'ai dit que je souhaitais le rencontrer, que j'étais le médecin de Claire. Il a accepté.

Je vous passe les détails, vous avez lu la retranscription que j'ai faite de notre conversation. On perçoit tout de suite l'indifférence émotionnelle des grands pervers, mais aussi une certaine fierté naïve de la manipulation réussie. Il m'a avoué presque tout de suite que Chris n'était pas mort, qu'il avait tout inventé pour se venger de la « trahison » de Claire. Quelle trahison ? ai-je demandé. « D'avoir dragué mon pote alors qu'on était ensemble. Un soir, j'ai reconnu sa voix sur un message qu'elle avait laissé à Chris, ses intonations tellement maniérées, ce con me l'a fait écouter pour que je me délecte de sa suavité. *Claire Antunès* ? Tu parles ! Enculée, oui !

Salope ! Je n'ai rien dit à Chris, j'aurais eu l'air de quoi, j'ai pas le profil d'un cocu, moi ; mais la vengeance est un plat qui se mange froid. Quelle grosse pute ! Et qu'est-ce qu'elle devient maintenant ? C'est toi qui te la tapes, c'est ça ? Elle les prend de plus en plus jeunes ! Elle est pas morte de chagrin, alors ? Ah ah ! ça m'aurait étonné ! J'ai bien vu que ça lui fichait un coup quand je lui ai raconté ce bobard. Mais elle s'est vite consolée, à ce que je vois. J'ai essayé de retrouver sa trace il y a un an – je suis un sentimental ! Non, je déconne, j'aurais bien re-tiré un coup, elle est encore pas mal, pour son âge, hein ? – mais elle avait disparu de la circulation : elle n'était plus sur Facebook, son numéro ne répondait plus, elle ne faisait plus cours à la fac, elle avait déménagé. Je suis même allé devant la maison de son ex-mari, une fois (entre parenthèses, il s'est remarié, le mec, avec une vraie bombe, une brunette avec des seins, je te dis pas). J'ai vu ses enfants, les deux petits crétins. Mais pas trace d'elle. Bon, j'ai laissé tomber. Alors, elle va comment, cette pouffe ? T'es son médecin ? Elle est malade ? Elle a pas le sida, au moins ? »

Je n'ai pas répondu, à titre personnel je me retenais de lui en coller une, dois-je le dire. J'ai posé des questions sur Chris. Jo m'a raconté évasivement qu'il n'avait plus aucune nouvelle de lui. Qu'après la défection de « Claire Antunès » partie se marier au Portugal, Chris avait eu un petit coup de cafard, alors Jo avait conseillé à son pote de changer de profil Facebook, de changer de peau, ce qu'il avait fait. Christophe – Kiss-Chris – était tout simplement devenu Toph. Jo avait discrètement bloqué le numéro de Claire sur le téléphone de Chris, au cas où. « Indésirable », voilà ce qu'elle était devenue, « bien fait pour sa gueule », m'a-t-il dit. Puis ils étaient partis au Mexique sur un reportage qu'avait dégoté Jo, et sur place Chris avait rencontré une fille. Jo et lui s'étaient brouillés pour une question d'argent, Jo était revenu tout seul, et c'est là qu'il avait revu Claire pour lui annoncer le prétendu suicide de Chris.

Jo m'a demandé où habitait Claire maintenant, je ne lui ai évidemment pas dit qu'à cause de lui elle dépérissait depuis trois ans dans une clinique psychiatrique, je ne voulais pas lui faire ce plaisir.

Je suis rentré chez moi complètement sonné, mais j'avais ce que je voulais. Par acquit de conscience, j'ai cherché Toph sur Facebook. N'étant pas « ami », je n'avais pas accès à grand-chose, mais il y avait la photo d'un homme d'une quarantaine d'années aux cheveux auburn, photographe né à Sevran, vivant à Mexico, dont la signature se terminait par une petite fleur. Père d'un enfant.

C'est là que j'ai commis ma seconde faute, je le sais. J'ai manqué de perspicacité, ou peut-être de lucidité professionnelle. Il m'a semblé que chez cette patiente, le principe de réalité aurait des effets bénéfiques. Qu'en la tirant de l'univers imaginaire qui la détruisait, en lui montrant qu'elle avait été manipulée, que c'était elle la victime – elle n'avait tué personne, c'est elle qu'on avait tuée –, j'allais l'aider, la secourir, même. J'ai voulu la sauver.

Je ne sais pas. Peut-être. On ne peut pas parler de contre-transfert parce qu'elle n'a pas beaucoup transféré sur moi, je crois. Mais j'ai sans doute omis de prendre conseil, d'en référer à l'un d'entre vous. Je suis entré dans une relation interpersonnelle avec elle.

Amoureuse ? Je ne sais pas. En tout cas, je voulais qu'elle puisse recommencer à aimer. Moi ou un autre. Un autre… ou moi.

C'est le contraire qui s'est produit. Je croyais lui redonner de l'espoir : personne n'était mort pour elle. Et je lui ai apporté le désespoir : personne n'était mort pour elle. J'ai compris trop tard que c'était ce mort qui la faisait vivre. Cette passion tragique la justifiait : elle avait été follement aimée. Au fond, elle ne résidait ici, à La Forche, que pour pouvoir continuer à vivre dans cet amour. Une clinique psychiatrique, c'était le lieu idéal pour elle, l'endroit où vivre : les fous et les amoureux appartiennent à la même espèce, d'ailleurs on dit « amoureux fou ». Ici, on ne la dérangeait pas dans sa jouissance morbide. Sa tragédie était merveilleuse. Si elle me parlait si volontiers lors de nos entretiens, c'était pour le plaisir de rester dans l'histoire. Et j'ai tout détruit. J'ai cru que la vérité la ramènerait à la vie. Mais tout le monde n'est pas prêt à la vérité. Les gens s'en foutent, de la vérité. Ce qui compte, c'est ce qu'ils croient. La vérité, ils écrivent par-dessus. Ils la font disparaître à force de fictions, de récits. Ils vivent de ça, de ce qu'ils se racontent. Leur vie est un palimpseste. Inutile d'aller voir dessous. Nous autres psys, nous prétendons à la vérité. N'importe quoi. L'HP, c'est tout le contraire : c'est pour se protéger de la vérité.

Son visage, quand je lui ai montré le profil de Toph sur mon portable ! Souvenir terrible. J'ai compris à ce moment-là, en une fraction de seconde, que j'avais eu tort, que c'était un désastre. Elle l'a reconnu, j'ai vu son regard quand elle l'a identifié. Son monde s'est écroulé, elle a glissé de la chaise et elle a juste dit en s'effondrant sur le sol : « Quelle honte. » Je ne sais pas si elle parlait d'elle, de Chris, de Jo. Ou bien de moi. Car j'ai eu honte, c'est vrai. Je ne peux rien dire d'autre. J'ai honte et je souffre. Le pervers, c'est moi, selon toute apparence. Mais je n'ai pas voulu ça, oh non, je n'ai pas voulu.

Ensuite elle a eu ses crises si graves, elle délirait, elle délirait le monde. Elle délirait pour rester en vie. Mais mourir est une force majeure. Et j'ignorais qu'elle ne prenait pas ses médicaments, qu'elle les accumulait cachés au pied du figuier.

Faites de moi ce que vous voulez. Je ne désire qu'une seule chose : qu'elle vive. Qu'elle s'en sorte.

Non.

Oui.

Oui.

Peut-être. Peut-être que je l'aime, oui, après tout oui, pourquoi ne pas employer le mot juste. Je l'aime. Elle m'émeut. J'ai envie de la prendre dans mes bras. Je pense à elle, je la porte dans mon cœur, je la berce dans ma mémoire. Elle me touche et elle me captive, oui, je suis captif. J'ai envie de la voir. « L'amour, c'est être là. » Il n'y a pas d'autre vérité. Et moi, j'aime être là pour elle. Je voudrais panser ses blessures. Elle me fait rire, aussi. Je ris, avec elle. Elle est peut-être folle, après tout, au sens où nous l'entendons. Sûrement. Mais ce sont les fous qui nous soignent, non ?

II

UNE HISTOIRE PERSONNELLE

La seule façon de se sortir d'une histoire personnelle, c'est de l'écrire.

MARGUERITE DURAS

Je vous raconte cette histoire vraie rien que pour montrer que j'en suis capable. Que ma fragilité n'en est pas encore arrivée au stade où je ne suis plus capable de raconter une histoire vraie.

JOAN DIDION

3

Brouillon de lettre à Louis O.

Mon cher Louis,

Pardon pour cette lettre manuscrite, je n'ai pas d'ordinateur en ce moment, j'espère que tu pourras me lire.

Ton message m'a fait de la peine. Que tu n'aimes pas mon titre, je peux le comprendre, même si je ne suis pas d'accord. *Va mourir !*, tu trouves ça trop agressif en couverture ? Trop racaille ? Même si j'ajoute en épigraphe un alexandrin de Corneille ?! C'est comme si je m'adressais au lecteur, dis-tu, comme si mon injonction le rejetait d'emblée ? Bon. Je ne crois pas que le lecteur prenne les titres pour lui, pas du tout, moi en tout cas ça ne me vient jamais à l'idée, mais admettons, d'un point de vue commercial tu as peut-être raison, je ne sais pas, on en rediscutera, ce n'est pas le plus important. Le reste me préoccupe bien davantage – ce que tu m'écris après, sur le fond : que vu la conjoncture dans l'édition ces dernières années, il vaut mieux être prudent. Toutes ces questions que tu te poses. Tu es comme les autres, alors ? Tu as peur. Tu n'as pas envie d'avoir de problèmes, tu penses aux romans dont les auteurs ont été condamnés ces temps-ci, et leurs éditeurs avec, tu as perdu deux procès toi-même. Chat échaudé craint l'eau froide, dis-tu.

D'abord, je te rappelle que tu en as gagné, aussi. La littérature triomphe, parfois. « Que les faits racontés aient été vécus par l'auteur n'ôte rien à la dimension esthétique de l'œuvre », ça ne te rassure pas ? Surtout, je suis triste que mon éditeur – mon ami – ne me fasse pas davantage confiance. Comment peux-tu croire, toi, Louis, qu'il n'y ait aucune distance entre la fiction et la réalité ? Ou pire : que j'aie volé cette histoire à quelqu'un ? Vampirisé sa vie ? Tu ne sais pas ce que c'est qu'écrire ? Tu es éditeur depuis cinquante ans et tu ne comprends pas les écrivains ? Il y a vingt ans qu'on est amis, tu as lu tous mes livres, et tu veux faire relire *Va mourir !* par un avocat ? Tu crains que quelqu'un s'y reconnaisse, c'est ça ? Nous sommes copropriétaires de nos vies, et ça t'inquiète ? Tu te demandes jusqu'où vont les parties communes ? Tu t'imagines sans doute que lors d'une résidence en HP pour un atelier d'écriture, j'ai pompé l'expérience tragique d'une des pensionnaires. C'est ça ? Tu te méfies de moi, tu penses que je n'ai aucune éthique ?

Tu as raison, en un sens, mais pas comme tu crois. Je suis lâche, c'est vrai. Je n'ai pas le courage moral qu'il me faudrait pour raconter exactement la vérité – la vérité nue, avec sa corne de taureau. Une chose banale que j'ai vécue – piteuse, la corne –, un micro-événement, où je me suis perdue. Je n'ai pas le courage parce que c'est trop bête, trop vulgaire, trop insignifiant, parce que moi, écrivain, femme, femme écrivain, j'aurais l'air d'une idiote, d'une pauvre fille, d'une névrosée grave. D'où ce roman, ce manuscrit que tu viens de lire. Une fiction pure – ou presque –, même si cette clinique existe bel et bien et que j'y anime toujours un atelier d'écriture. Mais puisque tu as des doutes, et pour vous rasséréner complètement, toi et Maître Machin, je vais te raconter la vraie histoire, l'histoire vraie, celle qui m'est arrivée. Ce hors-champ devrait t'intéresser, toi, éditeur, tu verras, il est en lien étroit avec le fait même d'écrire, avec la littérature. « Les vraies confidences », voilà comment pourrait s'appeler ce qui suit. ~~Et puis tu vas sûrement apprécier de me voir dans le triste personnage que j'y joue, secrètement ça va te faire plaisir, même si tu ne l'avoueras jamais, peut-être même t'émouvoir : j'ai remarqué combien vous, les gays, vous aimez les femmes mûres qui courent à leur perte. Vos idoles sont vieillissantes et suicidées, elles se meurent sur une chanson de Dalida. Qu'est-ce qui vous fascine donc tant, je ne sais pas : l'effet miroir ou l'effet repoussoir ?~~

Avant tout, je tiens à te rassurer : dans le roman que tu viens de lire, j'ai changé, en tout cas je peux le faire, j'ai changé la plupart des noms, les lieux, les professions. De toute façon, photographe, c'est plus stimulant que musicien pour l'imagination du lecteur. En réalité, il était chanteur-compositeur, il rêvait de faire un tube, d'avoir une chanson au top ten, et moi je devais écrire le texte. Mais pour ne pas te perturber, je vais garder les identités fictives, ce sera plus simple, et d'autant plus que tout le début de mon histoire est à peu près identique, tu n'as qu'à relire jusqu'à la page 56. J'ai bien, comme mon personnage, créé une fausse page Facebook et joué les sous-marins auprès de, appelons-le Jo, donc. C'était très adolescent de ma part, j'en conviens. Tu sais, l'âge est une notion stricte-ment administrative. Et puis les romanciers ont le droit d'habiter des romans dans la réalité. De toute façon, si c'est ce qui t'inquiète, je ne pense pas que la création d'un faux compte Facebook soit un élément suffisant pour porter plainte. D'une part, si cela était, il faudrait inculper les dizaines, les centaines de milliers de gens qui, de par le monde, sur tous les sites de rencontre et les réseaux sociaux, se font passer pour ce qu'ils ne sont pas, truquent leur âge, mentent sur leur profession, leur statut familial, voire leur sexe, postent des photos vieilles de vingt ans et se créent une existence plus libre, plus excitante que la leur. Le nombre de personnes qui s'inventent un personnage, c'est fou ! La vie est un roman ! Est-ce que tu sais qu'il existe un site Internet qui t'aide à te fabriquer une autre vie ? Pas un jeu vidéo, pas Second life, hein :

IRL, *in real life.* Il fournit des preuves tangibles des choses que tu inventes, des alibis à tes petits crimes en famille : des billets de théâtre pour une pièce où tu n'es jamais allé, une réservation d'hôtel dans un pays que tu ne connais pas, le compte rendu détaillé d'un colloque auquel tu n'as pas participé, des photos de toi dans un journal chinois daté du jour où tu étais en week-end à Pornic avec ta secrétaire, de fausses images, de faux diplômes, de faux souvenirs, de fausses preuves de ta vie fausse. Moi, à côté, c'est les Bisounours. Qui est lésé ? Pas d'adultère, pas d'escroquerie. Je n'ai usurpé l'identité de personne, comme tu le verras, j'en ai juste inventé une. Ma duperie n'enlève rien à quiconque, sinon à moi-même. Du reste, Chris a tellement menti dans cette histoire, lui aussi, que je le vois mal aller crier à l'imposture. Nous sommes tous, dans les fictions continues de nos vies, dans nos mensonges, dans nos accommodements avec la réalité, dans notre désir de possession, de domination, de maîtrise de l'autre, nous sommes tous des romanciers en puissance. Nous inventons tous notre vie. La différence, c'est que moi, cette vie que j'invente, je la vis. Et que, comme toute créature, elle échappe à son créateur. Tu vas dire, si tu es mal luné, que je ne la vis que pour pouvoir l'écrire, que la vie n'est qu'un prétexte à l'écriture. Mais c'est tout le contraire. La vie m'échappe, elle me détruit, écrire n'est qu'une manière d'y survivre – la seule manière. Je ne vis pas pour écrire, j'écris pour survivre à la vie.

Je me sauve. Se faire un roman, c'est se bâtir un asile.

Donc, pour les raisons que j'ai dites, je me suis forgé un avatar, j'ai créé mon personnage, Claire Antunès (entre parenthèses, la jolie brune, sois tranquille, c'était réellement une photo prise au hasard sur Google Images, et envoyée seulement en privé – *keep cool*, Maître Machin, pas de procès de ce côté-là –, d'ailleurs, je n'ai pas de nièce). Cette petite folle de Claire a vécu sa vie en moi, je ne l'avais vraiment pas prévu, elle est tombée amoureuse, il a bien fallu prendre des mesures. Et moi, malgré l'amour, j'étais plus lucide qu'elle, ou plus cynique, du moins je me croyais telle, moins fleur bleue que vénéneuse, je me sentais encline au coup de poker, prête à miser pour voir. J'étais comme un lecteur au milieu d'un roman policier, impatiente de savoir ce qui allait se passer. Et puis, tu me connais, je déteste le virtuel, l'angoisse monte vite, ce qui n'arrive pas me fait tellement plus peur que ce qui arrive, j'ai besoin de la chair du monde. Alors j'ai voulu rencontrer Chris en vrai – IRL. Moi, Camille, plus bravache ou plus confiante que Claire, plus tête brûlée que mon double, moins hantée par la jeunesse et la vieillesse, je n'ai pas pu renoncer. Non que je refuse le rêve, au contraire, je passe mon temps à rêver, j'écris tous mes livres en rêve ; le chaos dans la bulle, l'antichambre du livre, là est mon souverain plaisir. Mais j'aime aussi le passage à l'acte, le concret, l'encre et le papier, la peau et l'os. Je rêve que les choses arrivent. Puis, pour qu'elles arrivent, qu'il s'agisse d'écrire ou d'aimer, quoi qu'il en coûte, le prix qu'il faudra payer je n'y réfléchis jamais, je suis prête à l'action. Enfin, je l'étais.

J'ai d'abord essayé de rencontrer Chris « par hasard », et je suis allée l'attendre ~~à la gare de l'E~~, à Montparnasse (ne t'inquiète pas, il n'y a pas de maison à Lacanau, en réalité). Mais son père était là. J'ai seulement pu vérifier la force de mon désir. Chris avait quelque chose de solaire, il saturait l'écran de la réalité, s'imposait dans l'espace – la salle des pas perdus, ah, n'étions-nous pas perdus ? Car en même temps, sa fragilité crevait les yeux, j'ai pensé qu'il n'allait pas bien. Précaire – c'est le premier mot qui m'est venu à son sujet en le voyant : un homme précaire. Tu connais l'étymologie de « précaire » ? Qui est obtenu par la prière. Sauf que moi, il fallait que je trouve un autre moyen, je n'allais pas me mettre à genoux pour le supplier de m'aimer ! Ce que je sais, c'est qu'en le voyant, j'ai eu envie de lui. Pourtant, à quarante ans passés (j'ai changé les âges, aussi, tu as vu, le sien et le mien – je me suis dit que dans un roman, c'est comme dans un film ou sur Meetic : il vaut mieux que l'héroïne soit encore du bon côté de la date de péremption), à quarante ans passés, donc, il se comportait toujours comme un adolescent : ses vêtements, ses cheveux en bataille, sa guitare en bandoulière, papa. Mais c'était peut-être ce qui le rendait attirant, ce refus du temps, ça touchait un point de douleur en moi. Et puis c'était le début de l'été, Paris se vidait, je n'arrivais plus trop à écrire, Jo m'avait asséchée, mes filles étaient loin, j'étais seule, j'avais envie de faire l'amour, tu sais bien, il me fallait une source jaillissante, une preuve de vie. Chris était comme une promesse qui reste à tenir, je me rappelais la douceur de sa voix au téléphone, dans ma rêverie elle se confondait avec la douceur inconnue de ses mains.

Je savais, puisque Chris me l'avait dit lui-même, qu'il n'avait pas d'argent. La seule vue de son père m'aurait renseignée : la silhouette humble, le dos voûté, les sobres gestes de bienvenue, la couleur terreuse du visage sous la casquette – tout le contraire de ce que devait être la vie à Lacanau avec Jo. J'ai donc opté pour une solution qui avait l'avantage de rendre service à Chris. Car à la vérité, je me sentais coupable du petit jeu que je jouais avec lui depuis des mois, l'entretenant faussement – non, pas faussement, ce n'est pas le mot juste –, l'entretenant d'un amour masqué. La tristesse que je lisais sur son visage, j'en étais la cause. Je m'étais enfuie, prétendant me marier à Lisbonne avec un autre homme, le laissant frustré de tant d'espoirs. Il se morfondait pour un fantôme que j'avais bricolé. Je trouvais normal de *payer*. Et même, j'envisageais qu'il ne se passe rien avec lui, qu'on ne se rencontre jamais, que je paie simplement mon dû, que je lui rembourse à ma façon la dette d'amour qu'il avait dépensée en vain pour moi.

Je lui ai donc envoyé un message depuis mon vrai compte Facebook, celui de Camille, écrivain, Caméléonne pour les intimes (oui, je sais, Louis, je devine ton sourire. Mais là, les limites étaient dépassées : le caméléon se débattait sur une couverture écossaise). Je me suis présentée sans détour : voilà, j'étais une ancienne amie de Jo, à l'époque celui-ci m'avait montré ses photos, que j'avais trouvées belles, je me souvenais d'une en particulier, une flèche dessinée par terre avec ces mots, « TO HAPPINESS ». Je cherchais une idée de cadeau original, j'avais envie de l'offrir à une amie pour son anniversaire, est-ce qu'elle était à vendre ? Je laissais mon numéro de téléphone et une demande d'« amitié ».

Il m'a appelée peu après. J'avais peur qu'il reconnaisse ma voix, la voix de Claire Antunès avec qui il avait parlé longuement de nombreuses nuits, alors j'ai dit allô d'une voix de basse. Oui, il vendait ses photos. Deux cents euros pièce. « Quel format ? » ai-je demandé. Il a eu un rire fat. « Pas de format. Pour ce prix-là, je t'envoie la photo par mail et tu la fais tirer toi-même, encadrer si tu veux. Moi je suis l'artiste, je vends l'œuvre, je ne fournis pas le matériel. » Devant mon silence – j'étais muette de saisissement : était-ce vraiment lui qui, trois semaines plus tôt, suppliait d'une voix modeste et tendre de ne pas l'oublier ? –, il s'est radouci. « Si tu veux, je te vends la photo de ma dernière expo, sur plaque métallique d'un mètre sur deux. Mais trois cents euros, alors. T'es une copine de Jo ?

Je te préviens, on s'est frités grave, on se parle plus, excuse-moi mais il est vraiment trop naze. – Je ne le vois plus non plus, ai-je dit précipitamment. Mais on s'est déjà parlé, toi et moi, ai-je ajouté d'un ton facétieux (vite, vite, enchaîne) : oui, un jour, j'appelais Jo et il t'a passé le téléphone, tu n'étais pas très aimable, tu m'as même dit : "Va mourir !" Alors tu vois, on se connaît. » J'ai ri, mais Chris s'est offusqué aussitôt : « Ah non, sûrement pas, tu délires, là. Moi, je ne suis pas comme Jo, je sais me conduire. » J'ai dit « peut-être », ce n'était pas le moment d'envenimer la discussion. Il ne se connaît pas, me suis-je dit, il ne se connaît pas du tout. Il y a des gens, comme ça, qui s'ignorent complètement, qui sont à cent lieues d'eux-mêmes – on n'apprend pas vite à s'apercevoir de soi, parfois jamais. Puis j'ai pensé que c'était peut-être moi qui m'étais trompée, en effet, ce n'était sans doute pas lui aux côtés de Jo ce soir-là, ça ne lui correspondait pas. Il m'a dit qu'il habitait Sevran, mais qu'il venait souvent à Paris. « La semaine prochaine, j'emmène mon cousin à l'aéroport et je loge dans son appart' pendant son absence, porte des Lilas. Si tu veux, on prend un verre et je te file la photo. Comme ça, tu me paies en liquide, c'est mieux. » J'ai dit « d'accord. – Cool », a-t-il dit.

Il était déjà là quand je suis arrivée, appuyé contre un poteau à la sortie du métro. J'avais failli tout annuler, mon intuition ne me disait rien qui vaille, au téléphone le prince charmant m'avait eu tout l'air d'un méchant crapaud, tant de contes virtuels finissent en eau de boudin. Mais quand je l'ai vu, j'ai retrouvé les impressions de la gare : sa beauté, sa nonchalance, son inquiétude aussi, mal cachée. Et tout le désir accumulé par Claire Antunès au cours de sa correspondance amoureuse ne pouvait pas se résorber si vite en moi. L'envie de le toucher, de le respirer, de m'en faire aimer avait prospéré de façon indépendante, comme une plante, il ne suffisait pas d'une vague déception pour en arracher la racine. Et puis je suis écrivain, l'humain est mon matériau. Je n'ai pas de limites dans ce domaine, tu le sais bien, Louis, ma curiosité est infinie. Je fais le bras de fer avec les passions. Je me crois toujours assez forte pour brasser le magma en fusion, et là je ne voyais que de vagues braises à peine rougeoyantes. J'aurais dû me fier davantage à la familière sensation d'angoisse qui accompagne le début de l'amour, qui semble toujours me prévenir d'un danger imminent : une sorte de ciment qui prend dans ma poitrine et me fait mal, me bloque le souffle sans cause apparente, comme si j'étais en manque d'un objet vital que je n'ai pourtant jamais possédé – le désir revêt d'abord chez moi la forme d'une douleur anticipée, d'un deuil par avance, comme si tout mon corps me rappelait que ça va rater – même si ça se passe, ça va rater puisque ça a déjà raté, c'est inscrit dans l'air qu'on respire, et sur les murs, dans la ville, partout, la forme déjà momifiée de l'amour. Mais quand je reçois ce message intime, je ne fuis pas, au contraire, je m'en sors généralement, du moins en public, par un excès d'aisance, la mondanité joue pour moi le rôle de l'adrénaline en cas de risque vital, je surjoue la sociabilité, je ne laisse pas s'installer le silence, encore moins le cri de la bête, je m'applique à paraître intacte de toute atteinte, ça hurle muet, mon sourire est un masque, je bloque toutes les issues, je me bétonne à mort, je me fonds dans le paysage, camouflage à tous les étages, pas caméléonne pour rien.

C'est ce que j'ai fait ce soir-là, à la sortie du métro, bien qu'en ma poitrine Claire Antunès fût bel et bien là, palpitante de désir et d'angoisse. On s'est embrassés sur la joue et on a commencé à marcher en quête d'un bar. C'était troublant pour moi, en secret, d'être ainsi à ses côtés alors que nous flirtions depuis des mois sur Facebook – ne ris pas, Louis, je t'entends d'ici, c'est ma mère qui emploie ce mot, je trouve qu'il convient, au Moyen Âge on disait fleureter, conter fleurette. C'était tout à fait ce que nous avions vécu jusque-là, quand il postait à mon intention des photos de lotus et de pâquerettes, des trucs à l'eau de rose pour la fleur des champs que j'étais à ses yeux. Lui ne soupçonnait rien, bien sûr, et comment l'aurait-il pu ? Il aurait fallu qu'il ait une oreille pour ma voix, qu'il me prête attention, qu'il me *reconnaisse*. « Et donc, tu es écrivain ? a-t-il dit quand nous fûmes installés en terrasse d'un café maure. Tu écris quoi ? – Oui, ai-je commencé, je… – Elle est très cool, ton écharpe, a-t-il lancé à sa voisine, une brune piquante qui lui a souri en me jetant un coup d'œil hésitant. – J'écris surtout des romans, mais aussi des… – Tu devrais porter du rouge, ça t'irait super bien, tu peux me croire, je suis photographe, j'ai l'œil. – Ah ! Tu es photographe, a repris la brune, intéressée. Moi je suis comédienne. Tu habites… – elle m'a regardée – euh, vous habitez dans le quartier ? – Ouais, j'habite tout près. Et toi ? – Oui, je suis en coloc avec une copine, dans l'immeuble là-bas, au bout de la rue. – Tu es comédienne de théâtre ou de cinéma ? » ai-je demandé en avançant vers elle des yeux de caméléon pas décidé à rester couleur muraille. Elle m'a souri. « Plutôt théâtre. Mais le cinéma, j'en rêve. » J'ai rapproché ma chaise de la sienne. « Et tu joues, en ce moment ? Moi, je suis écrivain, j'ai envie d'écrire pour le théâtre. » Chris, ainsi évincé, s'était déjà tourné vers un groupe de jeunes qui tapaient le carton à une autre table, « hey rasta, a-t-il dit à l'un d'eux, j'adore ton look, t'es artiste ? Si t'as besoin, tiens, voilà ma carte. Je fais une ou deux pix, t'as rien contre ? » Il a sorti son appareil et a pris quelques photos du groupe sans attendre la réponse, puis soudain il m'a mitraillée sans prévenir. « Eh, arrête », ai-je dit en me forçant à rire (tu sais, Louis, à quel point je déteste être prise en photo), « et mon droit à l'image, alors ? » Il a regardé son écran où défilaient les images et m'a dit sans lever les yeux : « T'inquiète, je les efface, de toute façon elles sont toutes moches. » Après un deuxième kir, j'ai fait mine de me lever pour partir. « Attends, a-t-il dit en me prenant la main, t'as pas faim ? On va aller manger, non ? » Et avant que j'aie pu répondre, il m'a entraînée dans la rue. On a marché main dans la main jusqu'à un restaurant, « t'as quelqu'un ? » m'a-t-il dit sur le ton dont il aurait demandé, t'as des clopes ? j'ai dit « non. Et toi ? » Il m'a lâché la main. « Tiens, là, c'est bien », a-t-il décidé. Il s'est assis en terrasse à côté d'un groupe de touristes canadiens et a recommencé à distri-buer ses cartes de visite, il a pris les coordon-nées d'une fille qui se prétendait agent artistique ou qui voulait le devenir, je ne comprenais pas bien, dans le chahut. Le jeune homme à côté de moi m'a demandé ce que je faisais dans la vie, j'ai dit que j'étais écrivain, ça l'intéressait beaucoup, il a posé de nombreuses questions. Un vendeur de roses pakistanais a tendu un bouquet à Chris qui l'a renvoyé d'un revers de main, il a insisté en me mettant les fleurs dans les bras, « ah mais c'est pénible à la fin, a dit Chris, tout le monde croit qu'on est ensemble, c'est dingue… » Il mangeait vite, avec faim mais sans plaisir, brutalement. Au moment de payer, il est parti aux toilettes. J'ai réglé l'addition, « il ne fallait pas, a-t-il dit en revenant, au fait tu as mon blé pour les tophs ? En cash ? » Je lui ai tendu les billets, il les a comptés, debout dans la rue, les touristes canadiens nous regardaient, visages perplexes, à eux tous ils avaient l'air d'un puzzle. Nous sommes retournés au bar, la jolie comédienne était toujours là, elle nous a présenté sa coloc, tête contre tête au-dessus d'un magazine, elles faisaient un test de personnalité fondé sur le choix des couleurs, j'ai choisi vert et blanc, j'étais casanière et j'aimais l'argent, « eh ben dis donc, a dit Chris, le visage sérieux, réprobateur, tu es tout le contraire de moi ». Il a continué à parler mieux-être et chromologie avec les filles, « je vais rentrer, ai-je dit en me levant. – Hé, attends », m'a-t-il lancé en se levant à son tour, j'ai pensé qu'il allait me raccompagner, il s'est étiré, découvrant ses avant-bras tatoués d'oiseaux, ses cheveux brun-roux prenaient dans la lumière des tons ambrés, « tu es déçue, tu n'as trouvé personne ? a-t-il demandé. Le Brésilien là-bas, il te plaît pas ? Je crois qu'il te regarde. » J'ai tourné la tête, c'était un homme habillé en vert et jaune, effectivement je semblais lui plaire, dommage qu'il eût cinquante kilos à perdre. « Écoute, je n'ai besoin de personne, ai-je menti. Je suis fatiguée, je rentre. – OK, salut, alors », a dit Chris, et il s'est rassis à côté des filles. J'ai descendu la rue, j'avais mis ma robe africaine, celle qui fait qu'on te regrette quand tu t'en vas, disait Jo, il avait le sens de la formule, je sentais le regard de Chris sur ma silhouette qui s'éloignait, mais c'était peut-être seulement moi qui avais besoin de cette idée, d'un objectif qui ne me lâche pas tout de suite. Un peu plus loin, deux jeunes Blacks étaient assis sur une marche avec des canettes de bière, ils écoutaient du rap pas trop fort, « vous êtes ravissante », a dit l'un d'eux sur mon passage, et comme j'accélérais sans répondre, il a crié « Hey, m'dame, c'est un compliment ! » Alors j'ai agité la main dans sa direction sans me retourner et j'ai dit : « Merci pour le compliment. » Et je le pensais, je pensais : « Merci. » J'étais émue, surtout – mon ancien côté prof, sûrement – à cause du mot « ravissante » qu'il avait employé, j'étais contente qu'il utilise ce mot désuet, qu'il le garde vivant de son côté, qu'il prenne cette peine pour moi, enfin il me semblait que c'était pour moi. Ce sentiment de gratitude m'a soutenue jusqu'au métro ; en descendant l'escalier de la station Télégraphe, si profonde, le désir pour Chris était encore à vif, mais la honte de mon désir prenait le dessus, des milliers de filles protestaient en moi, clameur solidaire qui bourdonnait dans ma tête, non mais quel con ! Tout en rentrant sous terre, je n'eus bientôt plus qu'une seule phrase à l'esprit, comme taguée sur tous mes murs intérieurs, sans savoir à qui la destiner – à lui, à moi, à Claire Antunès ? –, puis le sachant, la murmurant à chaque marche où je posais le pied, m'allégeant en la répétant à son adresse, me libérant de son image, de sa voix, de ses messages trompeurs, enfonçant, enfouissant son souvenir dans l'oubliette puis dans le bruit métallique puis dans la foule ivre et rieuse du samedi soir, agitant une main virtuelle en direction de son piètre fantôme : « Va mourir ! » lui ai-je dit.

Il m'a rappelée trois jours plus tard, s'est excusé de n'avoir « pas été exclusif l'autre soir ». « Je suis comme ça, a-t-il ajouté, j'aime les gens. » Il appelait pour deux raisons : d'abord, il devait me livrer la photo que j'avais payée (je n'avais quand même pas oublié ? *To happiness*!). Ensuite, il avait eu une idée : « On devrait faire un bouquin ensemble. » Il s'était renseigné, il n'avait rien lu de moi, pas le temps, mais un ami lui avait dit que j'étais un bon écrivain, et comme lui était un très bon photographe, « ça pourrait être cool ». Je partais à la campagne avec ma mère, j'ai dit que oui, peut-être, qu'on se rappellerait pour en parler. Je suis allée en Auvergne, il me téléphonait tous les jours, il y avait sa voix dans les forêts, près des ruches, au bord des ruisseaux. Lui ne reconnaissait pas la voix de Claire Antunès dans la mienne, mais il l'aimait, il aimait entendre ma voix. L'idée était de faire un livre sur les paysans : on partirait avec « la vieille fille » – sa DS vintage – sur les routes de France, on s'arrêterait dans les villages, et pour mieux comprendre la vie de l'intérieur – c'est important, la vie des gens – on logerait chez l'habitant, on dormirait dans les fermes, dans les granges. Ce serait politique, aussi. « Bon, disait-il, j'ai un peu peur d'où ça nous mènera tous les deux, cette histoire. » Je feignais de ne pas entendre, ou de ne pas comprendre, il insistait, « tous les deux dans le foin, tu imagines ! Pas trop ton genre, en même temps ! Tu as peur, toi aussi ? Mais tu as envie de faire ce voyage avec moi ? T'es sûrement pas la bonne personne, mais bon... Je suis sûr que

tu en as rêvé cette nuit, moi ça me fait carré-
ment…, ouh là là, qu'est-ce que je raconte, enfin
laissons la vie nous donner ses bienfaits ». Je lui
envoyais des photos de moutons, des pitreries
sans aucun sex-appeal, des selfies avec le pay-
san du cru, il ironisait sur la fille des villes qui
joue à la fermière – en fait, je connais le coin
comme ma poche, j'y vais depuis que j'ai quatre
ans, mon grand-père est né là, je sais traire les
chèvres, j'ai vu vêler des vaches et mourir des
cochons et la mélancolie tuer l'hiver au bout
d'une corde, le monde rural je le connaissais
bien mieux que lui. Mais il n'écoutait pas. Il
faisait tout pour me séduire au téléphone, des
compliments, des sous-entendus, des projets, des
promesses. Moins je répondais à son manège,
plus il me provoquait ; sa voix avait des moda-
lités changeantes, très érotiques – beaucoup
plus qu'avec Claire Antunès ; mais s'il m'arrivait d'entrer dans son jeu, d'y répondre, il en
sortait aussitôt avec une forme de condescen-
dance irritée – nous étions simplement amis,
et encore, sur Facebook, *partir ensemble*, mais
non, il n'avait jamais dit ça, qu'est-ce que j'allais
m'imaginer ? On aurait dit qu'il n'arrivait pas à
choisir quel rôle tenir dans la division conven-
tionnelle des genres, celui de l'homme ou celui
de la femme : il montrait soit tous les signes
du chasseur audacieux, soit ceux d'une proie
hautaine qu'il faudrait gagner de haute lutte en
triomphant d'abord de sa belle indifférence. Je
n'aimais pas ce va-et-vient d'un rôle à l'autre car

il n'y avait aucun jeu entre les deux, pas de souplesse, il était l'un ou l'autre, deux parodies de sujet et d'objet, séducteur outrancier ou rebelle à la séduction, chevalier conquérant ou dame sans merci. Comprends-moi, Louis (je t'entends d'ici), ce n'est pas contre toi. Une femme, dans un homme, c'est bien quand ça se marie, pas quand ça lutte à mort. Lui ne laissait pas de place à la complicité et me forçait moi-même à me surveiller, à feindre. Comment s'abandonner à une demande qui s'inversera bientôt en rejet ? Comment prendre acte d'un refus qui va redevenir prière ? Quoi que je fasse, j'avais tort. Je pensais que ses brusques revers d'humeur pouvaient provenir de sa récente déception amoureuse, qui excusait et justifiait sa méfiance ambivalente envers les autres femmes. Mais je ne me sentais pas libre de me confier à lui comme l'avait fait Claire Antunès. J'étais sur un fil d'où je pouvais tomber, je le pressentais, même si j'allais bientôt l'oublier. Pourtant – ou donc ? – mon désir était revenu, un désir différent de celui que j'avais éprouvé quand j'étais elle, plus « agacé », une envie moins tendre et plus âpre de le toucher, de le humer, de laisser mes sens décider quel jeu pour quelle chandelle.

De retour à Paris, j'ai donc accepté de le revoir, même si, après m'avoir harcelée tous les jours en Auvergne pour savoir quand je rentrais, il était devenu moins impatient dès que j'avais été rentrée, me fixant rendez-vous trois jours plus tard. Il logeait porte des Lilas chez son cousin – « il est steward, souvent parti », a-t-il précisé cette fois, et comme il adorait Papa, son chat, il venait souvent faire du cat-sitting. C'était donc ça, le chat vautré au creux d'un vieux canapé dont il avait posté plusieurs photos sur Facebook, j'avais cru que c'était chez ses parents, à Sevran. Il m'a donné l'adresse et le code, « ce sera mieux que dans un café, pour travailler », a-t-il dit. Je suis arrivée avec mon MacBook et une robe en dentelle que j'avais achetée la veille en pensant qu'elle lui plairait ; mais je n'avais pas l'intention de prendre l'initiative, et je m'étais préparée à ce que rien n'arrive, comme la première fois. Disons que je jouais « pour voir », pour donner à cet amour virtuel une seconde chance de devenir réel, comme on commence un livre qui finira dans un tiroir. Je n'y croyais pas trop, je me demandais même s'il n'avait pas un problème, mais Claire Antunès espérait en moi, je sentais son énergie amoureuse bouger en moi comme un enfant à naître.

Chris m'a fait entrer. J'avais apporté une bouteille de vin et un paquet de pistaches qu'il m'a pris des mains pour les déposer dans la cuisine tandis que j'entrais dans un petit salon où je reconnaissais le canapé avachi. J'avais avalé un antihistaminique, je suis allergique aux chats. Mais pour l'heure, Papa était invisible.

La fenêtre était ouverte sur le soir, il faisait bon, un arbre était tout près, ses branches se tendaient vers moi. Chris est revenu les mains vides et s'est assis sur une chaise à ma gauche.

On a parlé de choses et d'autres, même pas de notre projet fumeux de livre, j'avais du mal à détacher mon regard du creux de son cou, à regarder ailleurs que l'aurait fait Claire Antunès. On n'avait pas grand-chose à se dire et je commençais à me demander vaguement ce que je fabriquais là sans même un verre à boire quand il a tendu le bras vers moi et s'est mis à me caresser du bout des doigts, nonchalamment, comme on caresse un chat, en continuant à parler. Il caressait mes seins, mes cuisses, mon ventre à travers ma robe, légèrement mais de façon très sexuelle – pas les cheveux ou le cou comme il l'aurait fait avec Claire, me disais-je. Ce qu'il chuchote à ce moment-là, je ne m'en souviens plus, mon prénom peut-être, ou des questions sur mon plaisir – je me laisse faire, le rouge me brûle aux oreilles, *ça te plaît ?* comment parler, penser, déjà la question se pose, je deviens liquide, informe quoique informée par ses mains des contours précis de mon corps, *Camille, réponds-moi, tu aimes ?* Sa voix basse, autoritaire, m'est inconnue. Il me prend la main pour la poser sur son sexe, il bande, la chaleur me monte aux cheveux, les mots manquent à ma bouche. Claire Antunès se désagrège, je balance ma robe avec ses rêves mièvres, moi j'ai le corps de Chris contre le mien, et quel corps, nous ne sommes pas sur Facebook à nous payer de mots, nous sommes là et c'est l'amour, l'amour c'est être là. Son sexe dur est mon trophée, je le caresse à travers l'étoffe de son pantalon que je déboutonne. Un homme qui bande, c'est merveilleux pour une femme, c'est son sceptre, je me demande si les hommes le savent – bon, OK, Louis, tu n'es pas obligé de répondre – pour moi c'est une ivresse, un règne et une abdication, le point d'évanouissement de toute méfiance, je deviens reine et rien.

Puis il m'a embrassée, ses lèvres se posaient à peine, sa langue était douce et secrète, lente, ses yeux étaient fermés, ses deux mains en corolle autour de mon visage, recueillies, sa tendresse m'a fondu le cœur, il embrasse Claire Antunès, me disais-je, il a envie de moi mais il embrasse Claire Antunès. Il s'est levé brusquement, « viens, on va changer de pièce », et m'a guidée par la main dans un couloir qui menait à la chambre. On s'est arrêtés en chemin, devant la porte d'entrée, pour s'embrasser à nouveau. Il a ôté sa chemise d'un geste ralenti par la pénombre, j'ai posé ma main sur son épaule nue, elle avait la rondeur d'une espagnolette, nous sommes immortels, elle ouvrait sur un paysage d'été, un tremblement brûlant de sensations, le monde s'était démesurément agrandi, il s'élargissait entre mes côtes en une flambée d'air qui embrasait tout, nous sommes éternels, ça palpitait dans un espace infini, plus rien n'existait que nous, la vie n'est jamais comme ça, sauf là, à cru, galopant sur un cheval fou.

Ce que je veux te dire, Louis, c'est que tout ce qui se passe ensuite dans l'histoire n'a qu'un mobile, un seul : retrouver ce moment-là. Le revivre. Recommencer. Attraper à la crinière le cheval fou dans ce vertige de la vitesse qui met des larmes aux yeux. Rien d'autre. Virginia Woolf dit qu'il ne s'est rien passé tant qu'on ne l'a pas écrit. C'est vrai de presque tout, mais pas de l'étreinte. L'étreinte est un événement. Même si on n'en parle jamais, même s'il n'y a pas de mots pour la dire et qu'on la tait pour toujours, quand on fait l'amour, on a lieu – on a lieu d'être.

« Mon amour », murmurait-il en me caressant, en m'embrassant avec une savante lenteur, « mon amour ». Je disais « oui, oui », j'étais son amour, je me laissais faire, j'étais fleur à respirer, j'étais fruit à mordre, des feuilles me poussaient un peu partout, des bourgeons, des branches, quel changement de saison ! Puis il s'est dégagé, a exercé une pression sur mon épaule, je me suis agenouillée – son zapping était brutal, mon ivresse ne m'empêchait pas tout à fait de m'en rendre compte, il hésitait entre deux rôles, acteur hard dans du X ou amoureux transi dans un feuilleton romantique, entre Camille et Claire, son cœur balance, ai-je pensé. Mais moi, tout me plaisait, j'étais à ma place ici et là, j'auditionnais pour les deux rôles, je voulais bien tout, moi, sans partage, sans nuance, mon désir accueillait tous les contraires, et pour cause, cet homme était là, je le prenais, j'aimais tous les hommes en lui, même celui qui me méprisait. Il s'est laissé faire en gémissant, a relâché peu à peu la poigne dans mes cheveux, cette exquise douleur est passée, puis il m'a relevée très doucement, « tu es douce, tu es si douce », a-t-il dit, il m'a serrée contre lui, « je sens ton amour », a-t-il murmuré, et c'était vrai, le désir est ce moment où l'amour est possible. On a marché enlacés jusqu'à la chambre, il y avait un étendoir où séchait du linge de femme, « je laisse la lumière du couloir, a-t-il dit en enlevant tous ses vêtements, j'ai cassé la lampe du lit ». Je me suis déshabillée aussi, on s'est allongés, on s'est repris dans les bras.

Ce que je voudrais te dire, Louis, te dire sans te le raconter, par paresse ou par impuissance, par lâcheté ou par peur, juste te dire, c'est la force de l'instant. Oh je me doute bien que tu la connais, Louis, ce n'est pas pour t'apprendre quelque chose, c'est pour le fixer – parce que ce qui est écrit témoigne. On écrit pour garder la preuve, c'est tout. Les livres sont faits de ces souvenirs qui s'entassent comme les feuilles d'arbre deviennent la terre. Des pages d'humus. Je suppose que tu vas me trouver folle, mais souvent j'ai fait l'amour pour pouvoir écrire, enfin je faisais l'amour pour faire l'amour, mais il n'y a jamais eu de grande différence pour moi entre le désir et le désir d'écrire – c'est le même élan vital, le même besoin d'éprouver la matérialité de la vie. Tu vas me dire que c'est le contraire, que l'un compense le manque de l'autre, qu'on s'exile de la vie dans sa représentation, qu'on écrit parce qu'on ne baise pas – un jour, tu m'as dit, je me souviens : « la littérature est le dépit de la chair » – ou bien qu'en écrivant on sublime nos instincts animaux, que le corps et la langue, ce n'est pas la même chose. Rien n'est moins sûr – d'ailleurs le mot « langue », rien que le mot « langue » est d'une obscénité folle. Moi, jamais, jamais je n'ai pu le prononcer dans son sens linguistique sans penser à son autre sens, sans éprouver la présence dans ma bouche de la chose en même temps que du mot, sans voir quasi sous mes yeux les organes se mêler, s'effleurer, se chercher. J'ai besoin de l'épaisseur de la langue, quand j'écris, et de sa finesse, et de sa douceur, et de son âpreté. Ce serait intraduisible dans un autre idiome, ce que je te raconte. Je me vautre sauvagement dans la langue française, dans aucune autre. Je lèche, je suce, je goûte, j'aspire, je fais naître le désir sous ma langue, qui est aussi désir de savoir. J'embrasse un rêve de récit, le baiser me raconte toujours des histoires. Ce sont les plus belles, celles qu'inventent en silence les baisers : enfin, on n'a plus besoin de mots pour être aimée. Chaque fois que j'ai été en panne d'écriture, je me suis mise en quête d'un homme, j'ai cherché à vivre. C'est pourquoi j'ai revu Chris, en dépit du reste. Non pas pour le sexe en lui-même, non pas pour jouir (ai-je joui, d'ailleurs, cette première fois ?) mais pour éprouver la puissance du désir, pour l'incarner, l'avoir dans la peau. Car ce n'est pas le sexe qui m'intéresse, c'est le désir. L'attirance plus que la possession. Le vertige plutôt que le spasme. Mon plaisir est en amont de l'extase. Je n'aspire pas à la petite mort mais à la vie vaste, à l'extrême existence. Je ne désire pas tant la jouissance que je ne jouis du désir. L'amour n'est pas le sujet de mes livres, c'est leur source. Ce n'est pas une histoire que je cherche, c'est le sentiment de vivre, dont écrire sera la défaite, à la fin, et jouir la chute. Désirer un homme, c'est comme rêver au livre : tout est ouvert, immense et chaotique, rien n'arrête le galop du cheval, la peur est là aussi, immense, vertigineuse, bien qu'on sente que rien ne pourrait nous faire tomber, notre puissance est infinie et désarmée, oh comme on court, comme il fait chaud, c'est le soleil allé avec le vent, réconciliés. Ensuite le chaos s'ordonne ou s'apaise, on le sait bien même si on l'oublie, il devient une phrase ou un blanc, un incipit ou un silence, une histoire ou pas. Mais retrouver ce chaos au cœur des mots, cette force originelle, c'est ce qui ne sera jamais réalisé. Assise à la table devant l'écran, devant la page, la perte est sensible, je sens l'éternité se retirer, grande marée. Alors, quand il n'y a plus que le sable, le désert à perte de vue, je cherche à retrouver la puissance motrice, le lieu de la pure présence, c'est trop violent cette absence dont les mots sont faits, ma chair a besoin de la chair pour se dire. Autrefois, quand je souffrais ainsi, incapable d'écrire, et quand, seule, je ne pouvais éprouver le désir par un corps physique, j'allais chercher dans ma bibliothèque de quoi colmater le trou foré par l'angoisse. J'avais mes objets de désir, mon corpus de prédilection, je savais quelle page ferait baisser en moi la tension, la hâte, l'envie, je la trouvais souvent tout de suite, ou bien je feuilletais le livre avec ce tremblement que j'ai parfois quand j'ai très faim, j'avais faim de mots, je me goinfrais du *Voyage* de Baudelaire, des maximes de La Rochefoucauld, de la fin de Bérénice. Mon menu était ultra classique, Louis ! Mais si j'y réfléchis vraiment, ce n'était pas la langue française qui seule me rassasiait. J'avais même peut-être plus de satisfaction avec des poèmes en anglais ou en italien, un corps étranger me comblait davantage qu'un corps familier.

> *If you see a fair form, chase it*
> *And if possible embrace it,*
> *Be it a girl or boy.*
> *Don't be bashful : be brash, be fresh.*
> *Life is short, so enjoy*
> *Whatever contact your flesh*
> *May at the moment crave :*
> *There's no sex life in the grave.*

Je lisais à voix haute, je relisais dix fois, compulsivement, la tension se déchargeait dans ma lecture, je me branlais de mots, si tu préfères, et pas seulement, car il m'arrivait de choisir Sade. Et puis je ne sais pas ce qui s'est passé – ou plutôt je sais, mais ce savoir m'est venu lentement – en tout cas, à un moment, ça n'a plus marché, le désir des mots m'a quittée. Mort. Terminé. Ils n'ont plus suffi à m'apaiser, à combler le vide laissé par un corps. Aucun livre n'agissait plus sur moi comme un corps vivant. Ce fut une catastrophe intime comme on en voit beaucoup ici, dans ce lieu d'où je t'écris : des gens que la séparation tue, que la parole ne répare plus. On ne veut plus de symboles, mais la chose même. On a marre des prières, ce qu'on veut c'est une action de grâce. « Ô je vous remercie mon Dieu j'ai enfin quelqu'un pour me donner ce dont j'avais tellement besoin pour me redonner le goût de vivre. » Voilà ce qu'on veut dire au lieu de ressasser la frustration. Avant de m'amener ici, on a retrouvé dans ma poche, sur un petit bout de papier, trois phrases que je ne me souviens pas avoir tracées, et pourtant c'est mon écriture : « *My kingdom for a horse* », et en dessous : « Je donnerais toute la littérature pour l'amour », « tous les mots contre un cheval fou ».

Sauf que c'est moi qu'on a cru folle.

Mais je vais trop vite, je dois d'abord finir mon histoire.

Chris a interrompu d'un coup nos caresses, s'est masturbé nerveusement sur ma bouche avant *tu veux bien ?* d'y jouir, il s'est renversé sur le côté, « ouh je reviens de loin », a-t-il dit, puis il s'est levé d'un bond, s'est rhabillé sans un regard pour moi, est sorti, suivi de Papa. Quand je l'ai rejoint, il était en train de martyriser la télécommande, il s'est finalement arrêté sur une émission de télé-réalité, « ah non mais moi je suis une princesse », disait une fille, elle avait des lèvres de mérou et un mini-short en cuir, « je ne

suis pas facile à séduire, je connais ma valeur ».
Je me suis rassise, le public applaudissait, j'ai fait
semblant de regarder quelques minutes, mais
j'avais faim et soif, j'étais un peu sonnée, mon
parachute interne n'avait pas tout à fait réussi
à freiner ma descente, j'ai dit : « Tu pourrais
peut-être déboucher la bouteille ? – Tu es garée
où ? » a-t-il répondu sans me jeter un regard. Je
me suis levée, « je suis venue en métro, ai-je dit
en prenant mon sac, et je vais repartir de même.
– Non mais tu peux dormir là si tu veux, ça me
gêne pas, moi j'ai l'habitude de rester devant la
télé sur le canapé, je n'aime pas les horaires, les
contraintes, mais si tu veux, va dans la chambre,
pas de problème. » J'ai dit que non, que je pré-
férais rentrer, il n'a pas bougé, « salut », j'ai dit
en repoussant du pied Papa qui voulait sortir, et
j'ai claqué la porte. Il te refait le coup du métro,
pensais-je en me dirigeant vers la porte des Lilas.
Et il n'a même pas servi le vin que tu lui as
apporté ! C'est dingue ! Je ne comprenais rien à
mon humiliation, sinon qu'il me fallait la domi-
ner. Dans le métro, j'ai reçu un sms : « Tout va
bien ? », puis un autre, deux minutes plus tard :
« Tu es bien rentrée ? » Je n'ai pas répondu, je
suis rentrée, tout n'allait pas si mal, en effet :
j'emportais le souvenir du désir, plus fort que
la honte, plus fort que tout. J'avais volé le feu,
j'en payais le prix – le bec d'aigle de la honte qui
me déchirait les entrailles – mais qu'importe ?
J'avais de la peine, oui, mais, me disais-je, assise
dans le métro, ça vaut la peine, ça valait la peine,

littéralement, pensais-je, puisque se relançaient en moi des envies de mots, de phrases, s'agençaient des fragments sonores, une mosaïque, un opéra, un flot d'images, un roman, un film. J'enveloppais mentalement dans le papier-bulle du souvenir ses doigts s'avançant vers mes seins, sa bouche, la sensation élastique de son sexe bandé sous ma main, le poing qui tire les cheveux en arrière comme le mors aux dents, j'entortillais le désir dans ma mémoire pour l'empêcher de s'enfuir, de se casser, attention fragile, je voulais qu'il reste un peu – si avec ça, tu n'arrives pas à écrire, me disais-je, qu'est-ce qu'il te faut ? La chaleur me revenait déjà, le désir oublié comme un mot sur le bout de la langue, la puissance vitale comme un moteur qui se dégrippe. Vouloir quelque chose de Chris, c'était sans doute peine perdue, mais quelle peine est vraiment perdue, me disais-je, si elle aboutit à un livre ?

Il m'a rappelée le lendemain vers midi, il pensait à moi, il avait hâte de me revoir, comment étais-je habillée ? Il pensait à ce moment, dans le couloir, à ma bouche, il se branlait en y repensant, « et toi ? » Il pensait à tout ce qu'on avait fait, et surtout à tout ce qu'on n'avait pas encore fait, qu'on allait faire, comme ce serait bon, « j'aime tout chez toi, disait-il, tes yeux ta bouche tes petits seins ta douceur tu es si douce », tout l'excitait chez moi et mon cul par-dessus tout « jamais vu des fesses si belles on se voit ce soir ? » J'ai dit que je ne savais pas. « Tu n'as pas envie de me voir ? a-t-il murmuré. … Allez, viens. Je t'attends déjà. Dis-moi que tu viens, que tu as envie de me voir, que tu ne penses qu'à ça. » J'ai ri. « Bon, d'accord… – Cool, s'est-il exclamé joyeusement. Tu viens à 8 heures, tu te souviens du code ? »

J'étais dans la rue quand il m'a rappelée, deux heures plus tard, je n'ai pas entendu la sonnerie, je marchais dans la puissance majestueuse, dans l'indiscrète aura du désir, celle que tout le monde voit, je croisais des regards allumés ou curieux, excités ou envieux, quand on est désirée on est désirable, c'est la loi, c'est le théorème idiot, la démonstration en est basique, elle se lit dans les yeux, le corps est un livre ouvert, « écoute c'est con, disait son message d'une voix terne, j'avais complètement oublié que j'étais invité ce soir, ça m'est revenu d'un seul coup, donc bref on se capte plutôt demain, ciao ».

Ce petit manège de dérobades a duré quelques semaines, on se voyait, on se manquait, il devait voir un pote ou son père, oui et non faisaient le tourniquet, je jouais le jeu sans joie. Parfois, quand sa goujaterie était trop grande, je pensais rompre, d'autant plus que le sexe en lui-même était décevant comme un voyage raté auquel on a beaucoup rêvé. Mais mon désir avait construit tant de châteaux en Espagne que les ruines m'en suffisaient. D'ailleurs, je ne cherchais pas à être comblée – le désir me donnait assez de plaisir. Et puis chez moi le désir d'amour ne va jamais sans un désir de connaissance. La curiosité, c'est le signe : avoir envie, soudain, de connaître quelqu'un, de le déchiffrer. Quand l'autre devient un secret. Quand là où il n'y avait qu'un corps, il y a une histoire. Quand une forme se fait mystère sans fond. J'étais curieuse, et je n'étais pas la seule : Claire aussi avait envie de savoir qui était Chris, avec laquelle des deux il était lui. Un soir, il m'a proposé de venir le voir à Sevran, ses parents s'absentant pour tout le week-end. J'ai pris le RER, contente de le découvrir dans son décor de routine. Il m'attendait à la gare avec sa DS, m'en a fièrement fait l'historique – « elle est superbe », ai-je dit. Mon père en avait une quand j'étais petite, n'ai-je pas dit. Après quelques minutes de route, nous nous sommes garés sur le parking d'une HLM. « Je te préviens, c'est très simple. » C'était un trois pièces d'une propreté étouffante qui, malgré le salon en velours vert olive et quelques bibelots posés sur le buffet noir, avait l'air vide. Aucune plante, aucun livre, aucun magazine, aucun tableau, à l'exception d'un petit poulbot dans l'entrée et d'une assiette ornée de poissons au mur de la cuisine : on aurait dit un appartement-témoin – témoin de quoi ? De quel manque, de quelle angoisse, de quelle peur de vivre ? De quel crime contre le bonheur ? La chambre de Chris était plus vivante, mais d'une vie passée : fanions de foot, maquettes de voitures miniatures, photos de pique-niques scolaires, poster de Guns N'Roses, casquette de base-ball. « Voilà, c'est chez moi », a-t-il dit en me prenant dans ses bras. Je me suis serrée contre lui, émue. « Tu m'invites au restaurant ? » a-t-il ajouté en me repoussant.

Le dîner a été bizarre, hésitant entre le vieux couple mutique et la première rencontre Meetic. C'était ça, sûrement, me disais-je, le problème de Chris – le problème de tout le monde, peut-être ? Quelle place donner au sexe dans la relation ? Aucune place ? Ou toute la place ? Sous son regard, je me sentais d'une minute à l'autre bombe atomique ou vieille copine. Tu vois, Louis, si j'avais décidé d'écrire un roman sur cette pauvre histoire, j'aurais tout raconté de notre sexualité, j'aurais fait littéralement un *rapport* sexuel. Je sais bien que beaucoup n'aiment pas ça, surtout les hommes quand il s'agit d'écrivains femmes, toi le premier peut-être, vous trouvez ça vulgaire, ou bien vous trouvez que nous devrions laisser ça aux hommes, que c'est leur domaine. Eh bien moi, la sexualité me fascine. Dans la vie. Donc dans les livres. Je ne sais rien de quelqu'un tant que je n'ai pas couché avec lui. Rien d'important. Rien de vrai. Au mieux, ce que sa conversation, sa fréquentation m'ont laissé deviner, le sexe le confirmera. Mais souvent, il l'infirmera. Toute la construction sociale se dissout dans le rapprochement des corps ou, si elle se maintient, c'est qu'il n'y avait qu'elle : l'obsession de la maîtrise, la peur ou la négation de l'autre, la volonté de pouvoir. Le sexe, sinon, c'est le moment du partage le plus juste et le plus fragile, où le désir et la tendresse nous rendent généreux, où le présent ressemble à s'y méprendre à l'amour, et souvent on s'y méprend, on s'abandonne au feu, on s'y jette sans savoir qu'il brûle, comme un innocent, mais cette méprise est belle, cette méprise est le contraire du mépris, dans le désir on est innocent et c'est ce qu'on cherche, littéralement, être in-nocent, rien de nocif en nous, ne pas nuire, enfin ne pas nuire, ne vouloir que le bien, ne recevoir que le bien, échanger le souffle et la langue, le réel et la parole. Raconter le sexe, c'est montrer l'humanité, sa possible bonté, sa puissance transfiguratrice tout comme sa faiblesse partagée, l'acceptation du sort commun qui sert de toile de fond à la vie. Ou bien la haine, la domination, la honte. Dans tous les cas, le sexe est connaissance, savoir instantané, volatil sans doute, chair à oubli, mais n'est-ce pas à la littérature, alors, de l'attraper au vol ?

Après le dîner, nous sommes revenus dans sa chambre d'enfant. On n'a pas pu faire l'amour, il a joui trop vite et s'est tourné aussitôt contre le mur. Dans la nuit, il a hurlé comme une bête qu'on éventre et m'a serrée dans ses bras à m'étouffer, « oh Camille, a-t-il dit, oh Camille, ma Camille », puis il s'est rendormi dans un sanglot douloureux sans relâcher son étreinte, je ne pouvais plus respirer, je me suis dégagée comme j'ai pu, troublée, et j'ai tremblé de froid le reste de la nuit parce qu'il s'était entortillé dans la couette comme un bébé dans ses langes. Le matin, il a mis une cuillère de miel dans mon thé, qu'il m'a tendu comme un cadeau précieux.

Il n'y avait rien à manger – pas une miette de pain. Je crois que c'est là, dans la déception violente de mon désir, dans la défaillance nocturne par où s'était immiscé mon prénom, Camille et non Claire, que l'histoire avec lui, d'une pauvreté aride, a commencé pour moi à s'écrire.

On a continué à se voir ainsi, chez moi ou chez son cousin, dans une intimité brinquebalante mais grandissante. Chacun avait montré de soi à l'autre : son désir, sa peur – qui s'apprivoisaient tant bien que mal. Il redoutait moins d'être méjugé ou méprisé, je craignais moins de ne pas être aimée – c'était quoi, l'amour ? C'est quoi, sinon l'envie de retrouver toujours un certain corps, et le récit qu'on s'en fait ? Pourtant, la question de l'argent restait pendante. Il n'en avait jamais, m'empruntait des tickets de métro, des livres soi-disant pour sa mère, qu'il revendait sans doute, dix euros pour acheter des cigarettes, cent pour faire le plein d'essence ; ne me rendait jamais la monnaie ni rien ; suggérait les souvenirs que je pourrais lui rapporter de mes voyages – le dernier modèle Nike de New York ou des bêtises de Cambrai. Je crois même qu'il ramassait derrière moi les pourboires que je laissais sur les tables des cafés, ou que d'autres laissaient. Il critiquait la déco de mon appartement, voulait que je remplace tous les tableaux par des photos de lui achetées à « prix d'ami ».

Chaque fois qu'on se voyait, il me disait combien il en avait assez de Sevran et de la vue sur le béton, il faisait de belles photos de la banlieue, ses couloirs de RER, ses tours, ses visages gris. Mais lui, ce qu'il voulait, c'était le ciel, la mer, l'espace, shooter du bleu, du vent, du large. Et moi, j'avais envie de lui donner ce qu'il voulait ; et puis de retrouver la vie qu'on a dans une maison avec un homme – depuis Jo je n'avais plus connu cette douceur du lieu clos, et le rapport qui s'établit entre l'espace intime et celui où le corps se déploie dans des odeurs de café, de grenier, de cheminée. Alors j'ai décidé de louer une maison au cap Blanc-Nez. C'était sauvage et beau, hors saison, on serait bien. J'ai aimé son plaisir quand je lui ai annoncé la nouvelle – un enfant qui n'a jamais vu la mer.

Sa DS est tombée en panne trois jours avant le départ – « pas cool », m'a-t-il dit au téléphone. Elle était dans un garage à Sevran, c'était le carbu, il en aurait sûrement pour plusieurs centaines d'euros. Sans compter l'objectif qu'on lui avait volé dans sa sacoche pendant un shooting, et qu'il lui faudrait racheter. Il ne voyait pas comment faire, et nos vacances étaient à l'eau, à moins que je lui prê… Je lui ai dit que j'allais louer une voiture, la maison était déjà réglée, on n'allait pas abandonner. Je n'avais moi-même pas trop d'argent, mon à-valoir était mangé depuis longtemps, Louis, mon à-valoir pas mirobolant, Louis, mais j'avais trop envie de vacances et de lui. Le lendemain, Chris m'a appelée alors que je m'apprêtais à entrer dans l'agence de location près de chez moi. Il allait s'en occuper à Sevran, son père lui avançait l'argent pour la voiture. Il viendrait avec le soir même, et nous partirions le lendemain matin. J'ai dit OK – les voitures, c'est des histoires de mecs. Il m'a demandé par sms de virer sur son compte le montant de la location, ce que j'ai fait aussitôt.

Le soir, il s'est garé en bas de chez moi et m'a appelée de la rue en criant : « Mon amour ! J'ai oublié le code. » Je suis descendue lui ouvrir, il m'a prise dans ses bras en dansant : « Tu es ma petite femme ! Tu es ma petite fée. » La nuit a été tendre, enlacée à nous. Le matin, on a fourré tous nos bagages dans le coffre et on est partis joyeux, hissez haut matelots. Il a conduit tout du long, j'ai dormi. Je me suis réveillée avec la radio qui chantait à pleins poumons *Can't buy me love, eh voilà, c'était les Beatles, une chanson de 1964.* « Jamais entendu cette chanson, a dit Chris. Et toi ? Elle est cool. – Moi si, vaguement, ai-je dit en m'étirant. Mais en 64, j'étais petite. »

La voiture – une DS 3 rouge série spéciale, une descendante suréquipée de sa vieille DS – a fait une embardée et s'est immobilisée brutale- ment sur l'aire de repos déserte. On ne devait pas être loin de la mer, par la vitre ouverte l'air sentait le sel. Chris s'est tourné vers moi, les deux mains crispées sur le volant, la mâchoire en airain. « Qu'est-ce que… ? » ai-je dit. Il m'a fixée durement. « Tu as plus de cinquante ans ? » Il a pincé les lèvres et répété plus fort : « Tu as plus de cinquante ans ? » Je l'ai regardé sans répondre. « Alors là, tu me fais flipper », a-t-il dit, et il est sorti en claquant à toute volée la portière. « J'ai le même âge qu'hier soir », ai-je crié à travers le pare-brise.

Au supermarché où nous nous sommes arrêtés ensuite pour acheter de quoi manger, il a marché trois mètres devant moi dans les allées sans jamais se retourner, me laissant pousser le Caddie comme la ménagère de plus de cinquante ans que j'étais devenue l'espace d'une chanson. Il a juste balancé dans le chariot une prise jack pour mp3 – « tu aimes les tomates ? ai-je dit en contenant de nouveau mon humiliation, qu'est-ce qu'on va manger, ce soir ? – C'est toi qui fais les courses », a-t-il répondu avec dédain. Puis, comme j'insistais, « je n'ai jamais vu quelqu'un d'aussi peu femme », a-t-il dit, et mon statut de ménagère lui-même a disparu. Il a plaisanté avec la jeune caissière tandis que j'introduisais ma carte de crédit dans la machine, elle avait un tatouage de crocodile au poignet, il a montré les siens en souriant, ses oiseaux aux ailes déployées, « c'est vous qui allez me dévorer », a-t-il remarqué, puis il est sorti sans m'aider à porter les sacs, sur le parking il a ouvert le coffre et m'a regardée les y déposer, « merci », ai-je dit. À Boulogne je suis allée chercher les clés de la maison chez les propriétaires, il n'est pas entré avec moi, et lorsque ceux-ci m'ont raccompagnée sur le seuil, il les a à peine salués, comme s'il n'était qu'un chauffeur appointé, en attente, appuyé sur le capot au soleil. Une discrète odeur de charogne montait du remblai. « Tiens, je vais conduire, ai-je dit en contournant la voiture par l'arrière, j'aimerais savoir ce qu'elle a de spécial, cette DS. » Il a tendu précipitamment le bras vers le tableau de bord et a retiré la clé de contact. J'ai levé les sourcils. « Il n'est pas question que tu conduises », a-t-il dit en croisant les bras sur son torse ; une veine a sailli à son cou. « Et pourquoi ? » Des larmes affluaient derrière mes yeux, la lumière sans doute. « Parce que je ne laisse personne conduire ma voiture, c'est tout. » J'ai ri. « Ta voiture ? TA voiture ? Je te rappelle que c'est moi qui l'ai payée, cette voiture. Et moi aussi j'adore conduire. – Peut-être bien, mais là tu ne conduiras pas. De toute façon, tu n'as pas le droit, tu n'es pas déclarée comme conducteur. – Génial ! Bon, c'est pas grave, je vais appeler l'agence et leur demander de me rajouter. Passe-moi la facture. Mais vraiment tu exagères, tu pensais que j'allais passer quinze jours ici sans conduire ? En dépendant entièrement de toi ? De ton humeur ? » J'ai sorti mon portable, il n'a pas bougé, il regardait au loin, l'air de ne pas entendre. « Tu as le numéro ? Passe-moi la facture… – Je ne te donnerai pas la facture, et tu n'appelleras pas l'agence. – Ah oui ? Et pourquoi ? » Ma voix était étranglée comme par une main. « Parce que je ne veux pas que mon nom soit associé au tien, voilà pourquoi. – C'est juste pour pouvoir conduire, tu sais, c'est pas pour publier les bans, ai-je dit. – On n'est pas ensemble, a-t-il répondu rageusement, tu as compris ça ? On-n'est-pas-en-semble ?! Je ne t'aime pas et je ne suis pas avec toi. Tu as compris ? » Il est complètement con, ai-je pensé. « Si, regarde, on est là tous les deux, on est ensemble », ai-je dit, facétieuse, et en même temps, d'un mouvement léger je lui ai arraché les clés qu'il tenait à la main et je me suis mise à courir. Il m'a poursuivie autour de la voiture, je riais, « on n'est plus ensemble mais tu me cours après », criais-je entre deux rires, je voulais croire encore qu'on s'en sortirait comme ça, en riant de l'absence d'amour, ou bien je voulais donner le change aux propriétaires qui nous observaient peut-être de derrière leurs rideaux de dentelle blanche. J'ai couru dans la rue pour échapper à leur vue, Chris m'a rattrapée, j'avais mal évalué l'absence d'humour, il m'a plaquée contre un mur, m'a saisi le poignet d'une main et de l'autre a tenté de desserrer mes doigts crispés autour des clés, je riais toujours mais il me faisait mal, à hauteur de mes yeux son biceps grossissait dangereusement, dangereusement, ai-je pensé, danger, ai-je pensé, « Camille, rends-moi ces clés tout de suite », j'ai lutté un peu pour montrer ma force car moi aussi je suis forte, j'étais forte, je voulais qu'il le voie, je serrais les clés dans mon poing, elles me transperçaient la paume, mon dos s'enfonçait dans le mur comme si je voulais y disparaître, Chris continuait, mes doigts craquaient sous les siens, « tu me fais mal, ai-je dit, arrête », je secouais les bras pour échapper à son emprise, il m'a attrapée par le poignet, l'a levé et m'a immobilisée en le serrant comme un arbitre sur le ring, et par ce geste qui me déclarait vainqueur il m'a vaincue. J'ai lâché les clés de peur d'entendre céder mes os, il est retourné à la voiture, moi aussi, il marchait comme John Wayne, on est montés sans ajouter un mot et nous avons roulé jusqu'à la maison, je lui indiquais la route d'une voix de GPS.

C'était une belle maison traditionnelle en pierre, spacieuse et froide. Il y avait trois chambres, dont une avec un lit d'enfant et une autre avec un berceau blanc à l'ancienne, près du lit double – j'avais à peu près le même pour mes poupées, dans le temps, j'ai refait le geste d'en arranger les rideaux, je me suis revue. J'ai posé les draps et les taies dans la chambre la plus grande, j'ai rangé les provisions dans le frigo. Mes poignets étaient douloureux et l'index de ma main droite rouge et gonflé, j'avais au moins deux phalanges luxées. Chris faisait du feu dans la cheminée, je l'entendais bouger les bûches. Dehors, le vent du soir s'était levé, il passait sous les portes avec des plaintes de chien blessé, et les arbres faisaient de grands gestes dans la pénombre grandissante. « Je crois que ça ne va pas être possible, ai-je dit en m'approchant de lui, on ne va pas pouvoir. – Bon, a répondu Chris en fourrageant dans les brindilles pour éteindre le feu qui commençait à prendre, on s'en va. » Il s'est redressé tout d'une masse et son corps m'a fait peur. J'ai reculé, j'ai dit : « Pas ce soir, écoute, il fait déjà nuit et il va y avoir une tempête, ce serait dangereux. Dormons là cette nuit, et on verra demain si ça s'est calmé. » Je parlais du vent et de nous. Le feu avait rougi ses joues, il avait le visage empourpré d'un amoureux : « OK, a-t-il dit précipitamment. OK. » Il a attisé les braises, puis s'est assis sur la banquette en face de moi. J'ai allumé mon ordinateur, lui le sien, Internet ne marchait pas très bien, il a mis ses oreillettes et a commencé à claquer dans ses doigts au rythme d'une musique que je n'entendais pas. Au bout d'un moment, il s'est levé, a farfouillé dans les placards, allumé la bouilloire. D'un geste il m'a proposé du café, j'ai fait non de la tête. Il s'est préparé un sandwich d'un air furieux, est passé derrière moi pour aller vérifier le feu. « Qu'est-ce que tu regardes ? a-t-il dit. – Rien. » J'ai rabaissé précipitamment le couvercle de mon ordinateur. J'étais allée sur le site de l'agence de location Avis pour voir si je pouvais me déclarer en second conducteur, mais je ne voulais pas qu'il le sache. Une fois seulement dans ma vie, j'avais eu peur physiquement d'un homme, mon mari lors d'une crise de jalousie, il avait les yeux fous en me giflant à toute volée, j'avais eu un décollement de rétine, mais j'étais jeune et je croyais que c'était le prix à payer quand on était désirable, que ça rendait les hommes furieux, que c'était naturel, il avait fallu m'opérer au laser. À présent, c'était l'inverse : j'étais devenue indésirable et l'homme ne pouvait pas le supporter, c'est ce qui le rendait violent, d'avoir désiré l'indésirable, il se sentait

indigne. Ce n'était pas naturel, c'était social
– juste une image de lui-même dans le monde :
un brahmane chez les intouchables, ai-je pensé.
Intouchable, ai-je pensé. *Plus de cinquante ans !*
Même si nous étions seuls, sa honte le dévorait
et lui pinçait la bouche, on l'avait trahi, on l'avait
humilié, j'étais devant lui comme devant un
miroir où s'étalait sa déchéance. Le rideau blanc
du berceau brillait dans l'ombre, et j'essayais de
comprendre : est-ce que c'était d'être avec une
femme qui ne pouvait plus avoir d'enfant qui lui
faisait horreur, soudain ? Une espèce de confusion que feraient les hommes entre l'infertilité et
l'impuissance ? La haine de la stérilité ? La peur
inconsciente de coucher avec leur mère ? Une
peur que les femmes jeunes, elles, n'auraient pas
de coucher avec leur père ? Elles le recherche-
raient, même ? Et eux aussi ? Pas peur de coucher avec leur fille ? Mais pourquoi ? Pourquoi
cette dissymétrie tellement acceptée et validée
partout ? Pourquoi cette caste supérieure des
hommes ? Bref, j'essayais de me conduire comme
d'habitude quand le ravage menace, Louis : je
puisais des forces dans la raison, je colmatais
l'angoisse par l'idée, je pensais pour moins souffrir, l'intelligence faisait pansement. Mais cette
fois-ci le système de secours avait des ratés, je le
sentais. L'intelligence n'assurait plus ma sécurité,
elle me faisait voir trop crûment la vérité. Être
détrompé est pire qu'être trompé, on n'est plus
protégé par l'illusion, on n'a plus rien devant les
yeux pour nous masquer le réel – plus de voile

sur son éblouissante nudité. Le réel est ce qui ne change jamais, ce sur quoi on n'a pas prise. S'en rendre compte est terrifiant. Alors il faut chasser la pensée et rassembler son corps dans sa peau, retrouver la sensation du plaisir, essayer de rattraper le malheur avec la vie. « Tiens, il y a des CD… Qu'est-ce qu'ils ont comme musique ? » J'ai enclenché un disque de Manu Chao et je me suis mise à danser follement, le rythme gai m'entraînait dans l'inconscience, il me vidait littéralement la tête. Chris allait peut-être venir danser avec moi, me disais-je. La danse est comme le sexe – une façon de se rapprocher sans passer par les mots. Mais il s'est levé d'un air exaspéré, a rassemblé ses affaires et s'est enfermé dans la chambre du fond. La tempête enrageait, les branches giflaient les fenêtres, la lumière tremblait, je dansais agrippée au vent.

« Je te préviens, je m'en vais à 20 heures. » Cette phrase sèche, balancée sur le seuil de la chambre, m'a tirée d'un sommeil empesé. « 20 heures, ai-je pensé. On a tout le temps de se réconcilier. » Le réveil indiquait 7 heures et demie. À un autre homme, et si j'avais eu une meilleure nuit derrière moi, j'aurais dit : « Allez viens, je t'en prie, viens te coucher, faisons l'amour, viens, on verra après » – c'est ce que propose Circé à Ulysse en colère, car la chair adoucit les mœurs – c'est la seule chose à faire, l'amour. Mais, poisseuse et bouffie, je n'ai rien dit, j'ai vaguement gémi en m'enfonçant

180

sous la couette. À présent, j'ouvre les yeux, il est 8 heures 20, le silence emplit la maison, le vent est tombé. Je me lève, regard torve dans le miroir à faire peur de la salle d'eau, double couche d'anticernes, balayage de blush, se maquiller, plaire, plaire, plaire, revenir dans le désir. J'écoute le silence. La porte de Chris est fermée. Il fait froid dans la grande salle, les cendres même semblent congelées.

J'enclenche la bouilloire posée sur le bar, mets deux tartines dans le grille-pain, ramasse un paquet de Camel vide. La porte d'entrée est entrebâillée. Je vais pieds nus sur le seuil, la voiture n'est plus garée devant la maison, il est allé acheter des cigarettes au village, je jette le paquet de Camel, le ciel est gris-bleu, j'allume la radio, *ah tu verras tu verras l'amour c'est fait pour ça*. Le café passe avec le temps, je frappe à la porte de sa chambre, l'ouvre, la pièce est vide, toutes ses affaires sont parties, ne restent que de la vaisselle sale et les reliefs de son dîner sur la table de chevet, je vais devoir nettoyer, c'est ça qu'il veut, que je tienne mon rôle de femme, à la fin. Un album de *Tintin* gît au milieu du lit parmi les couvertures en désordre. Il est sur messagerie. À l'employée de l'agence Avis à Sevran que j'appelle d'instinct, je demande en tremblant de froid s'il est possible de modifier le contrat de location de la voiture. « Ah ! mais c'est le monsieur qui vient d'appeler... Je lui ai déjà tout expliqué, il m'a dit qu'il ramènerait la voiture vers 15 heures – 15 heures... Et...

pour le remboursement ? – On vous rembourse au prorata des jours d'utilisation. Là, vous aviez loué pour dix jours, deux cent cinquante euros, vous ramenez la voiture aujourd'hui, on vous compte deux jours, on vous rembourse la différence. Si la voiture est en bon état, naturellement. – Pourquoi dites-vous deux cent cinquante euros ? – C'est ce que vous avez payé, Madame. – Non, nous avons payé trois cent trente euros. Il y a une assurance en plus ? » La voix de l'employée devient hésitante. « Euh, écoutez, j'ai la facture sous les yeux, c'est une offre tout compris ce mois-ci pour les Citroen DS, votre mari, enfin, le monsieur a payé deux cent cinquante euros net. »

Je lui raconte tout, je déverse l'histoire d'un seul coup. C'est une inconnue, mais c'est une femme. Celle-ci dit « ah oui… » ou « c'est moche » ou « je comprends », et c'est tout ce qui compte à cet instant : qu'une femme comprenne et confirme avec moi que c'est moche. « Vous êtes bien sur la messagerie de Chris. Je ne suis pas là, mais laissez-moi un message et je vous rappellerai sans faute. » Sans faute. C'est la dernière fois que j'ai entendu le son de sa voix – une voix assez bête, à la vérité, ai-je pensé. Ma honte me faisait souffrir plus que l'abandon, parce que j'en étais seule coupable. Sur Face-book, il m'avait déjà bloquée – impossible de laisser même un message privé, un pouce pansé incarnait sobrement le constat. « Le lien que vous recherchez n'existe plus. »

Sans faute.

Je n'ai pas songé tout de suite à faire revenir Claire Antunès. Ne me crois pas cynique, Louis, rien n'était prémédité. La colère et le mépris m'ont d'abord soutenue pendant une heure ou deux. Ensuite la solitude s'est engouffrée et l'abandon s'est couché dans le petit berceau, je ne pouvais plus le quitter des yeux, il était vide et j'y étais gisante, c'était moi qui hurlais à perdre haleine. Quand l'angoisse est devenue trop forte, j'ai cherché secours auprès de femmes qui pourraient m'expliquer ou au moins me comprendre – des femmes qui connaissaient Chris, de près ou de loin. Sur Facebook j'ai envoyé des messages privés à Charlotte, une ex dont il m'avait un peu parlé ; à la comédienne que nous avions rencontrée ensemble au café le premier soir. À deux autres filles qui likaient souvent ses posts, et dont j'avais retenu les noms.

À toutes, j'ai raconté brièvement ce qui s'était passé, je ne demandais rien de précis, qu'elles me soutiennent comme femme, c'est tout, sans avoir besoin d'un dessin. C'était la première fois que j'attendais plus d'une femme que d'un homme – la première fois de ma vie depuis l'enfance, depuis ma mère. Pourquoi des inconnues plutôt que des amies ? Je l'ignore. Sans doute que la honte était plus légère avec elles. Deux m'ont répondu gentiment, deux autres m'ont bloquée – le lien que vous recherchez n'existe plus. Alix, la comédienne, m'a donné son numéro, je l'ai appelée.

Elle n'était pas étonnée, elle connaissait ce genre de beau mec narcissique et creux, intéressé et lâche, oh là là, elle connaissait, elle collectionnait, même. Elle m'a suggéré de ne pas m'en aller, après tout c'étaient mes vacances aussi, je pouvais profiter du grand air, de la mer, du temps libre, de la maison loin de Paris, j'avais de la chance ; elle, elle était serveuse pour se payer le cours Florent.

Je ne pouvais de toute façon pas m'en aller. Le vent et la pluie avaient recommencé, la tempête gémissait aux fenêtres. Et puis où aller ? Comment ? Voyageant en voiture, j'avais emporté sans compter : trois sacs de draps, de livres, de bottes en caoutchouc et de chaussures de marche. Une parodie bourgeoise de vacances à la mer, voilà ce que j'étais. Ainsi chargée, je ne pouvais même pas atteindre à pied l'arrêt du car, à supposer qu'il y en ait un à moins de dix kilomètres. La maison était isolée, on était en morte-saison, dans le village presque tous les volets étaient fermés. J'étais seule.

Je suis restée prostrée toute la journée à boire du thé, tassée sur le canapé. Je suivais mentalement le retour de la voiture à Paris. Ma pensée ne fonctionnait plus que comme un GPS maudit, toutes les routes s'éloignaient de moi, tous les chemins menaient à rien. Puis j'ai remis Manu Chao en boucle et j'ai dansé jusqu'à épuisement. Je dansais, ma mémoire congédiait le passé et toutes les émotions qui lui appartenaient. Je n'avais plus ni parents ni enfants, ni feu ni lieu, ni foi ni loi. Abandonnée j'étais, à l'abandon, au ban de tout sous la voile du berceau, le linceul du tombeau. Je disais des phrases à voix haute, sans suite, les mots mêmes cliquetaient comme des boulets de forçats.

C'est seulement le lendemain que, sans nouvelles de rien, j'ai imaginé de renouer le dialogue sous l'identité de Claire Antunès. Elle seule pouvait désormais prendre le relais, me relayer en me reliant, moi je m'effaçais, je fondais, je me sentais devenir personne et ça me plaisait, je devenais rien et ça m'allait bien, mais la jouissance de ma propre disparition m'a donné un sursaut, il fallait réagir, il fallait à toute force qu'un lien se renoue, fût-ce avec l'autre en moi. J'ai donc envoyé à Chris un message depuis le compte Facebook de Claire : « Hello Chris, comment vas-tu, depuis tout ce temps ? Moi je suis toujours à Lisbonne. Mais écoute, j'ai reçu un drôle de message sur Messenger, je te le forwarde, je suis troublée, c'est vrai que tu as fait ça ? Je n'arrive pas à le croire. Claire. » Je joignais le message que j'avais envoyé à quelques-unes de ses amies. Il m'a répondu aussitôt : « Tu as raison de ne pas le croire, Claire. Cette femme est totalement folle, elle raconte partout des mensonges pour me faire du mal, elle écrit la même chose à toutes mes amies sur Facebook mais mes amies se marrent car elles me connaissent, elles me savent incapable de toutes ces salades, je te conseille de la bloquer tout de suite sinon elle va te pourrir la vie. Désolé de reprendre contact avec toi à cause de cette cinglée, mais elle aura au moins servi à ça. Donne-moi plutôt de tes nouvelles. Comment tu vas, bonita ? Tu reviens en France ? Besos. P-S : tu as vu, je me suis mis au portugais en t'attendant. »

J'ai insisté : « Mais vous étiez ensemble au bord de la mer ? C'est vrai ? Je la connais, j'ai lu deux livres d'elle, j'aime beaucoup ce qu'elle fait, c'est un grand écrivain » (si si, Louis, j'ai écrit cette phrase). <u>Lui</u> : « On n'était PAS ensemble. On était partis travailler dans cette maison sur un projet de livre de photos, elle m'a dit qu'elle voulait faire un livre avec moi mais en fait elle était amoureuse de moi, c'était un prétexte pour m'attirer dans cette maison, mais moi j'avais pas compris, je suis trop con. Quand j'ai vu comment ça tournait, tu penses bien que j'ai pris ma voiture et je suis parti, voilà. Écrivain, ça t'impressionne, toi ? Moi non, moi j'aime les vraies gens. Et je t'assure qu'elle est très méchante en réalité, elle m'a dit des trucs horribles, elle était complètement hystérique et moi ça, je supporte pas, et tu vois, maintenant elle essaie de me couler auprès de mes amis. Mais laisse béton, on s'en fout, d'elle. Parle-moi de toi, ça va ? Tu es heureuse ? Tu penses toujours à moi ? » <u>Claire</u> : « Ça va. Excuse-moi d'insister, Chris, mais j'ai peur qu'elle soit très mal, toute seule dans cette maison. Tu dis qu'elle est méchante, mais moi je me mets à sa place, si on me faisait un coup pareil, je serais dingue. Tu l'as abandonnée dans la maison ? Et elle dit que c'était une voiture qu'elle avait louée, pas ta voiture. Que vous étiez ensemble. Et que tu lui as tordu le bras, qu'elle va porter plainte à la gendarmerie. Rien n'est vrai ? » <u>Chris</u> : « Je te dis qu'elle est folle, putain, c'est pas possible ! Tu es en correspondance avec elle ou quoi ? Il va falloir choisir, hein ?! Quand je dis que c'est ma voiture, c'est que c'est ma voiture, OK ? je dis juste la vérité, OK ? Maintenant, tu fais ce que tu veux, Claire, mais je suis très déçu, vraiment c'est pas cool, je m'attendais à autre chose de ta part. »

Je n'ai pas répondu. J'ai fait du feu dans la cheminée, tant bien que mal, j'ai laissé les flammes me raconter mon sort, elles font ça très bien, elles hypnotisent le chagrin. L'hématome sur mon bras prenait des teintes fuligineuses, on aurait dit un Turner. Mon corps s'amollissait dans la chaleur comme de la cire qui fond.

C'est lui qui m'a relancée, enfin, Claire, le lendemain. « Bon, Claire, excuse-moi pour hier, mais comprends-moi, je ne supporte pas les mensonges. Je suis incapable de faire du mal à une femme, enfin ! Qu'est-ce qu'elle t'a dit d'autre ? Je dois faire attention, sa calomnie peut nuire à ma réputation, elle est très méchante, je te l'ai dit, elle peut se répandre sur Facebook et ailleurs. » <u>Claire</u> : « Elle ne m'écrit plus, mais son dernier message était inquiétant. Elle est toute seule dans cette maison, ça doit être flippant, tu es sûre qu'elle va bien ? » <u>Chris</u> : « Ouais c'est du cinéma, elle te ment pour t'attendrir. En fait elle est rentrée à Paris, un copain est allé la voir, elle va bien mais psychologiquement elle est très mal. Il paraît qu'elle n'attend qu'une chose, c'est que je l'appelle. Elle peut toujours courir. J'y suis pour rien, moi, dans tout ça, elle a qu'à m'oublier, moi c'est déjà fait » (émoticône clin d'œil).

À chaque message de Claire, j'espérais qu'il allait craquer et, sinon lui avouer la vérité à elle, du moins m'appeler, moi, pour s'excuser, s'expliquer et savoir comment j'allais, si j'avais besoin d'aide. Je n'arrivais pas à croire que le sentiment profondément humain éprouvé dans le désir amoureux ait si entièrement disparu au profit d'un déni aussi hermétique, et à chaque message je butais pourtant sur la même évidence : le lien que je recherchais n'existait plus.

Tu vas me dire que j'avais bien cherché ce qui m'arrivait, Louis, et que ma punition n'était somme toute pas bien grave, quoique cruelle. Une petite nouvelle du XVIIIe siècle revisitée, rien de plus. Des *Liaisons dangereuses* contemporaines, où je serais à la fois Merteuil et Tourvel, manipulatrice et victime, celle qui meurt et celle qui tue. J'avais joué avec la fiction, elle venait de me revenir en boomerang à la façon d'un effet de surprise dans le dénouement attendu d'un roman. KissChris avait repris la main, refusant d'être ma créature. C'était bien fait ! Moi-même, dans les brefs moments de répit que me laissait ma torpeur, j'imaginais quel récit ironique j'allais faire des événements dès que j'irais mieux. Je ne mesurais pas encore, malgré ma faiblesse physique grandissante, ou à cause d'elle, les ravages que cet abandon – à qui Claire voulait conserver le simple nom de goujaterie – était en train de provoquer.

Au début, j'ai trouvé des occupations. J'ai visité la maison, ouvert les placards, essayé des vêtements d'homme, de femme. J'ai dormi une nuit dans la chambre d'enfant, au pied du berceau. Je me suis fuie en me dispersant. J'ai cherché refuge dans les livres. C'était une bibliothèque étonnante, je me souviens, un mélange curieux de livres de vacances – romans de plage, guides Michelin, manuels de voile – et d'ouvrages confidentiels ou rares – tirages limités sur papier vélin, sonnets précieux, auteurs contemporains peu connus. Je lisais tout ce qui tombait sous ma main, je colmatais avec des mots le trou laissé par le silence, mais à part quelques poèmes, ça ne marchait pas bien. Il y avait aussi un de ces faux manuels de psychologie, un truc avec des fiches et des tests pour repérer les personnalités difficiles, et un livre sur les signes du zodiaque. Chris était paranoïaque, narcissique, passif-agressif, obsessionnel sur les bords avec des traits schizoïdes. J'étais Scorpion ascendant Balance, avec la sensibilité du Cancer, la persévérance du Capricorne et la générosité du Lion. Du moins est-ce ainsi que je me raccrochais au récit comique que j'allais faire de ma mésaventure, je stimulais vainement mon désir d'écrivain. Il y a même eu un moment où je me suis attendrie sur Chris : je repensais à la dernière phrase qu'il avait prononcée « je m'en vais à 20 heures », évidemment c'était 8 heures qu'il voulait dire, mais quelque chose en lui – l'obligation d'être un homme, d'incarner la loi ? – l'avait poussé à cette traduction administrative, et dans son lapsus j'entendais son désarroi, comme les enfants qui crient des insultes pour ne pas pleurer. Mais ce détail était trop maigre pour me ranimer. Les jours suivants, tout s'est ralenti. Je ne me levais plus que pour me faire du thé, aller pisser et prendre sur les rayonnages des livres que je ne lisais plus. Je ne me rappelle plus que celui-ci, parce que c'est le dernier statut public que j'ai posté sur mon mur – un recueil de Claude Esteban.

> J'ai des jours
> Qui ne servent plus, je vous
> les donne, ils pourraient
> grandir chez les autres, être légers,
> soyeux, pleins de soleil,
> moi, je les mets dans une boîte
> grise sous la terre
> et je les vois pourrir, prenez-les-moi,
> faites qu'ils vivent,
> qu'ils deviennent des enfants qui jouent

La suite est floue, je revois le soleil revenu à travers la baie vitrée, un gros galet posé sur un coin de la table basse, les cendres grises, la couverture écossaise où j'étais enroulée, la nuit qui tombait. La bouilloire branchée sur le bar de la cuisine américaine est devenue hors d'atteinte, la chaîne hi-fi aussi. Je me souviens juste d'avoir dormi les yeux ouverts, de cela je suis sûre. Et de m'être dit que la tombée du jour et la tombée de la nuit, c'était la même chose, un même moment désigné dans la langue par deux formulations contraires. Je me souviens d'avoir savouré cette trouvaille comme le dernier plaisir que m'offrirait la langue.

Quand les propriétaires sont entrés à la date de remise des clés, ils m'ont trouvée à moitié inconsciente, trempée de sueur et d'urine. Ils ont appelé à la fois la police et le SAMU, parce que mon bras était couvert de bleus et qu'ils pensaient que j'avais été agressée. En attendant l'arrivée des secours, ils m'ont interrogée, j'ai répondu par un flot de paroles délirantes tout en m'aplatissant les seins comme pour les repasser : c'est ce qu'ils m'ont raconté ensuite, à l'hôpital où ils sont venus me voir. Très gentils. J'avais perdu cinq kilos, mes cheveux tombaient, je divaguais, mais pas suffisamment pour oublier d'exiger qu'on ne prévienne pas mes filles, ni personne. Je n'ai rien dit aux gendarmes, même pas évoqué la présence de Chris, du moins je crois : il paraît que je délirais. Au bout de quelques jours, on m'a transférée à La Forche, j'y suis toujours, c'est de là que je t'écris. Mais ne t'inquiète pas, je vais bien, maintenant, parfaitement bien.

Tu connais La Forche ? C'est une clinique psychiatrique, il y a beaucoup de dépressifs – pas mal de profs –, des suicidaires, des femmes pour la plupart, non que les hommes ne se suicident pas, au contraire, mais ils ne se ratent pas, les hommes sont entiers pour tout. Au début, je ne comprenais pas pourquoi j'étais là, moi je n'étais pas en dépression, j'étais en répression : ma force vitale avait été tabassée, voilà tout. En réalité, j'avais dormi pendant des jours, et pleuré pendant des semaines, mais il y avait eu une éclipse de temps, si bien que le fil de la chronologie s'était rompu. Si mes filles avaient été là, si j'avais dû les revoir bientôt, j'aurais sans doute tenu bon. Mais elles étaient loin, elles n'avaient aucune idée de ce qui se passait, alors je pouvais me dissoudre sans dommage, cesser de donner le change, être moi-même, c'est-à-dire rien. Mon diagnostic était simple, je n'avais pas besoin d'un médecin pour ça, je pouvais le faire toute seule : je n'avais plus un sou de désir, plus un kopeck, nada, j'étais le joueur qui a misé jusqu'à sa chemise et perdu, j'étais nue, personne pour me tendre un drap, pour me donner la main, jamais ne misez tout le cœur, j'avais misé par excès de confiance, non, j'avais misé par humilité, par désespoir, non j'avais misé par trop-plein d'orgueil, j'avais misé en risque-tout impair et manque parce que tout m'avait déjà manqué je pouvais perdre puisque j'avais déjà tout perdu j'avais perdu dans les grandes largeurs perdu de façon perdissime je m'étais crue la reine du perdu je m'étais crue capable, moi la reine du désir, de devenir déchet de supporter le déni le néant la perte sèche et sans recours la banqueroute la faillite le crack suicidaire j'avais cru que je pourrais toujours renaître de ses cendres me relever de la poussière que j'avais mordue à pleines dents ne pas mourir étouffée par la terre qu'on balancerait sur moi à grands coups de pelle. Mon désir était le lieu de ma résistance, mon blockhaus intime, l'abri de mon corps et de ma langue, je le croyais inattaquable, insubmersible, indestructible. « Je désire donc je vis », mon cogito inoxydable. Et soudain j'étais là, parmi mes pairs – ah ah, ils portaient bien leur nom, tous, mes pairs, mes perdus, mes perdants –, j'étais là, démunie, lâchée comme une pierre au fond d'un puits. Je ne pouvais plus bouger, et je ne le souhaitais pas. Ce n'était pas mon amour-propre qui avait souffert, c'était mon élan vital. J'avais cessé de persévérer dans l'idée de vivre, dans l'idée que je m'étais toujours faite de ce qu'était vivre. « Étrange de ne plus désirer les désirs », chuchotais-je en moi-même. Je voyais autour de moi des ombres jumelles qui dérivaient dans leur mort impalpable avec un doux sourire ou un rictus rancunier. Nous avions tous atteint l'horizon, tous compris que derrière l'illusion d'optique, il n'était pas une ligne mais un point, un point final. « C'est cela qu'on cherche, me disais-je, le plus grand chagrin possible pour devenir soi-même avant de mourir. » Ce savoir était paisible, mais sans doute était-ce l'effet des médicaments.

Tu trouves peut-être que j'exagère, Louis, comme ma mère. Que « le plus grand chagrin possible » n'est sûrement pas qu'un type te vole quelques centaines d'euros en te plantant là. Qu'il y a des choses infiniment plus graves : un deuil, une maladie, un divorce même est plus douloureux. Tu as raison en apparence. En réalité, ici il est arrivé la même chose à tout le monde – les déprimés, les anxieux, les addicts, les anorexiques : on a tous perdu. Quelque chose ou quelqu'un. Un amour, un combat, une illusion. Ou simplement un sens – une direction, une signification.

Ici, j'ai parlé à un psy, bien sûr. Il s'appelle Marc, mais je peux changer le prénom. Il est très beau. Il s'obstine à vouloir m'expliquer que le désir et l'amour, ce n'est pas pareil. Le désir veut conquérir et l'amour veut retenir, dit-il. Le désir, dit-il, c'est avoir quelque chose à gagner, et l'amour quelque chose à perdre. Mais pour moi, il n'y a pas de différence, tout désir est de l'amour, parce que l'objet de mon désir, au moment où je le veux, où je tends vers lui, je sais que je vais le perdre, que je suis déjà en train de le perdre en le poursuivant. Mon désir est à la fois puissance vitale et mélancolie folle – folle à lier, folle à enfermer. Il me semble que j'ai toujours été ainsi, que c'est une force terrifiante, en un sens : je ne peux rien perdre, je ne peux pas perdre, puisque tout est déjà perdu. Alors je peux m'affronter à tout, il n'y a pas de risque puisqu'il n'y a pas d'enjeu, puisque je n'ai rien à perdre.

Mais là, au cap Blanc-Nez, j'ai eu la preuve violente de ma présomption : j'avais bien quelque chose à perdre, dont le manque menaçait ma vie. J'avais perdu le manque, je manquais du manque et je ne cherchais même plus à le retrouver. Par son mépris, Chris m'avait exclue du cercle, il m'avait fait honte de vivre. Exilée, chassée du jardin des délices. Plus d'homme à toucher, plus de livre à écrire. Je te parle du désir, Louis. Je n'en avais jamais eu peur, avant, ni honte, j'étais son égale. Le désir nous fait éprouver le vide, c'est vrai, le puissant chaos qui nous environne et nous constitue, mais ce vide, on l'éprouve comme le funambule sur son fil, on le tâte comme l'équilibriste quand il y balance sa jambe, on est à deux doigts du désastre et de la chute, de l'angoisse mortelle, et pourtant on est là, tout vibrant d'une présence agrandie, décuplée, immense, on se déploie dans le chaos, retenu par le seul fil de ce qui nous lie à l'autre, notre compagnon de vide, notre funambule jumeau. Quand est-on plus vivant ? Plus heureux ? Plus libre ? Je te parle du désir, de la lenteur impatiente du désir. L'acte lui-même, c'est différent, on est déjà dans le retour au monde, dans la maîtrise, dans le savoir-faire, c'est la même chose pour un livre, ce qu'on publie, ce qu'on rend public, c'est ce qui demeure du grand chaos qu'a été le désir du livre, le projet du livre, le rêve du livre. Un livre ne tient pas toutes les promesses du désir, il en est l'un des aboutissements. Mais il traduit le plaisir qui est venu après la montée du désir, son épiphanie. S'il n'y a pas ça dans un livre, il n'y a rien. L'acte sexuel, c'est pareil : l'angoisse du désir s'apaise, la faim, la voracité sont calmées, mais ce que le désir demande, faire l'amour ne l'exauce pas, pas complètement, il y a un reste, un manque, et c'est sur ce manque que le désir se relance. René Char dit du poème qu'il est « l'amour réalisé du désir demeuré désir ». Pour moi, c'est ce que doit être un livre, dans l'idéal, et aussi une rencontre : quelque chose a eu lieu, le désir était là, sa flambée, l'amour s'est fait, parfois parfait, le livre est beau, vibrant, vivant – et pourtant rien n'est possédé, rien n'est tenu dans les mains, entre les bras, le désir vise le prochain présent, il s'écorche déjà à l'attente, à la langueur vivace et brûlante, chaotique et érigée, totale et fragmentée qui le désigne, flottant sur l'angoisse du vide. « Nul ne possède rien […] Peut-être notre exercice fondamental consiste-t-il à aimer et à écrire avec les mains vides. »

Il y a beaucoup de TS, ici, comme on les appelle : des tentatives de suicide. Beaucoup de gens qui ont décompensé brusquement, chez eux, à leur travail ou n'importe où à la suite d'un incident souvent mineur aux yeux des autres – une cigarette refusée, une mauvaise note administrative, une moquerie. Des profs chahutés. Des chagrins d'amour aussi, bien sûr. Des ruptures inconsolées. Des gens qui n'arrivent plus à mettre des mots sur le perdu – des mots justes –, qui se noient dans des images ou du silence. Au bout de quelques semaines, ça n'a pas traîné, Marc m'a proposé d'animer un atelier d'écriture pour les pensionnaires, il pensait que ça aiderait tout le monde : eux à symboliser leur douleur, comme il disait ; moi à retrouver l'envie d'écrire, à redevenir écrivain. Car je ne pouvais plus écrire une ligne, c'était aussi impossible que de voler pour un oiseau blessé, on m'avait coupé les ailes. J'ai accepté.

Il y a surtout des femmes à mon atelier. C'est comme ça que j'ai rencontré Claire, « claire comme de l'eau de roche », dit-elle quand elle se présente. Son mari l'a abandonnée pour partir avec sa sœur cadette ou sa nièce, je ne sais plus. Elle n'a pas supporté, elle a perdu confiance en elle. Elle part, puis elle revient. Elle reste. Sa colère la sauvera, je crois. Ou son rire. Il y a aussi Josette, qui a été violée. Et Catherine, elle a seize ans, son petit ami a publié des photos d'elle ivre et nue sur Facebook, les internautes la harcelaient, elle s'est jetée du haut d'un pont. Puis est venu Michel, qui passe son temps à étudier l'étymologie, l'hébreu surtout, le sens des mots, leur origine. Il paraît que quand il était petit, il a été adopté après un accouchement sous x, et qu'ensuite ses parents l'ont rendu à l'orphelinat. Il ne dit jamais rien, sauf pour nous donner le sens d'un mot. Il ne se déplace pas sans son dictionnaire – « que tant d'x sillonnèrent », a dit Marc l'autre jour, c'était bien – il vient aussi à l'atelier. Chacun raconte son histoire ou celle des autres, ou celle dont il rêve.

Au début, j'étais morte. Impossible d'écrire une phrase, les mots faisaient le bruit d'un objet qui tombe. J'aidais les autres à se lancer, je les incitais à réinventer la vie dans la langue, mais moi je ne pouvais plus. J'étais vidée, vide, vieille. Je ne trouvais plus de secours nulle part. Ça a duré assez longtemps, Louis, tu comprends pourquoi je ne donnais pas de nouvelles. Et puis il s'est passé deux choses. D'abord, nous avons décidé de faire du théâtre. C'est Claire qui a eu l'idée, dans une autre vie elle a été une spécialiste reconnue de Marivaux et du XVIIIᵉ siècle. On a résolu de monter *Les fausses confidences*, tu connais cette pièce ? Presque tout le groupe a suivi, sauf les plus mélancoliques. Et c'est dans le travail de la voix, dans les gestes et le mouvement des corps qu'un petit bout de flamme s'est rallumé. Pas seulement en moi, je le sais, même si le feu est toujours précaire, ici.

… La deuxième chose, c'est l'arrivée de Christian – Chris pour les intimes, a-t-il dit. C'est un vidéaste, il faisait un reportage sur La Forche. Du travail sérieux, en immersion. Il est venu régulièrement à l'atelier, pas comme documentariste, comme participant. Il n'a jamais demandé à filmer ces moments-là, il voulait s'intégrer au groupe. Un jour, il a confié qu'il avait fait une dépression, quelques années plus tôt, parce qu'une femme avec qui il avait eu un début de liaison s'était suicidée. Il a écrit ce jour-là un très beau texte, ça s'appelait « La première fois », je l'ai gardé, je le relis souvent. Il expliquait qu'il ne pouvait faire l'amour avec une femme que la première fois, qu'il y mettait tout son être, toute sa tendresse, toute sa virilité. Et qu'ensuite il ne pouvait plus, que ça devenait impossible, physiquement impossible. Il ne savait pas pourquoi. Alors il s'enfuyait, ou devenait suffisamment désagréable pour qu'on le quitte avant de s'apercevoir de sa défaite. Les femmes ne comprenaient pas, la première nuit avait été si intense. Il avait longtemps donné le change en changeant constamment de partenaire, jusqu'au suicide de cette femme. Depuis, il était perdu, seul le travail le soutenait, il voulait réussir.

Pour fêter la fin de son tournage, qui a duré des semaines, il a donné une petite fête à La Forche. Je n'avais pas dansé depuis une éternité – depuis le cap Blanc-Nez. Quand Chris est venu m'inviter, j'ai pensé que je ne saurais plus mettre un pied devant l'autre, même pour un slow, mais c'était plutôt toucher le corps d'un homme que je craignais de ne plus savoir. Claire dansait avec Marc, *take me now baby here as I am, hold me close, try and understand,* Catherine tournait sur elle-même en chantonnant, *desire is hunger is the fire I breathe, love is a banquet on which we feed,* Josette faisait le DJ, *come on now try and understand the way I feel when I'm in your hands Take my hand come undercover They can't hurt you now can't hurt you now,* l'air embaumait le vétiver, le parfum que portait mon père autrefois, je le respirais quand il me faisait tourner dans ses bras, Chris se taisait, je sentais battre son cœur, *because the night belongs to lovers because the night belongs to lust because the night belongs to lovers because the night belongs to us.* Alors Michel est passé entre les danseurs en disant que ce qu'on traduisait toujours, dans l'Ecclésiaste, par « vanité », « vanité des vanités », *hevel havalim,* désignait exactement la buée que forment les bouches en hiver. Merci, Michel, ai-je dit. À la fin de la danse, j'ai accompagné Chris dehors, il a allumé une cigarette. L'air était glacial, quelques flocons tombaient sur les jonquilles, près du banc. Chris a crié « vanité des vanités » et on a ri en voyant la buée. Il faisait très froid, mais nous étions vivants dans le froid. Chris a recommencé, il a hurlé à pleins poumons : « vanité des vanités », j'ai fait comme lui, et puis on a ri, qu'est-ce qu'on a pu rire, on a ri comme des fous.

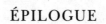

ÉPILOGUE

Écoutez, Maître, j'ai fait ce que vous m'aviez demandé, alors qu'après tout, vous êtes mon avocat, je vous paie assez cher comme ça pour ne pas être obligé d'effectuer le travail à votre place. Vous vouliez des preuves concrètes que ma femme n'a pas l'intention de revenir dans la vie réelle et ne veut plus s'occuper de nos enfants, je vous les apporte sur un plateau. Où est le problème, je ne vois pas.

Oui, mais ça c'est uniquement parce que la JAF est une femme ! Il n'y a vraiment pas moyen de demander un autre juge ? Un homme comprendrait mieux, j'en suis sûr.

Évidemment que je ne vais pas le dire devant elle ! Vous me prenez pour un idiot, Maître ! Simplement, je trouve son obstination injuste et malhonnête. Je n'ai rien fait de mal, après tout !

Mais qu'est-ce que ça change que Katia soit

la nièce de ma femme ? Ce n'est pas la mienne. Et je l'aime. Et elle m'aime. On ne peut plus se marier avec la personne qu'on aime, dans ce pays ?

Par alliance, Maître, par al-li-ance, ne l'oubliez pas ! Je suis son oncle par al-li-ance ! Aucune consanguinité. Et soyons sérieux : si, comme je le demande depuis des mois, je peux enfin divorcer, Katia n'aura plus aucun lien de parenté avec moi, ni biologique ni « par alliance », et je pourrai l'épouser. C'est pourtant simple. Même un enfant de quatre ans comprendrait ça.

Une circonstance aggravante ? Mais quel vocabulaire, Maître ! On dirait que j'ai commis un crime. Vous êtes mon avocat ou celui de ma femme ?

Oui, la JAF, je sais. Mais il n'y a pas de circonstance aggravante qui tienne. Il n'y a eu qu'une circonstance amoureuse, c'est tout. Plutôt atténuante, en somme. C'est le hasard si nous en sommes là. J'aurais pu rencontrer Katia n'importe où : au supermarché, au café du coin, dans mon cours de théâtre. Eh bien non : je l'ai rencontrée parce qu'elle est venue habiter chez nous après la mort accidentelle de ses parents. Je ne lui ai pas sauté dessus, si c'est ce que la JAF veut savoir. Nous avons longuement parlé, nous avons appris à nous connaître et nous nous aimons. C'est tout naturel. Elle a vingt-cinq ans de moins que moi, OK. Et après ? Woody Allen aussi, et lui, c'était la fille adoptive de sa femme !

Légalement, je ne suis pas son oncle, pas du

tout ! Demandez-lui si elle me considère comme son oncle, Katia ! Quand elle est partie à Rodez (ma femme lui avait trouvé un emploi, elle a accepté d'y aller, vous voyez, elle a tenté de lutter), elle déprimait complètement, elle était seule, encore en deuil de ses parents, et folle de moi. On se parlait tous les jours sur Skype et Facebook quand ma mère, euh, quand ma femme, aïe, pardon, bonjour le lapsus, quand ma femme n'était pas là. Katia avait peur de ma femme, c'est sa tante mais elle la sentait hostile à son bonheur, et c'est vrai que Claire est quand même très névrosée, la suite l'a montré. Elle n'était pas gentille avec elle, elle voulait juste l'évincer, l'écarter de la maison, alors même qu'elle avait une sorte d'obligation de soin à son égard.

Oui, sans doute. Mais c'était trop tard, de toute façon. À un moment il faut accepter l'évidence. Se faire une raison. J'aime Katia et je ne l'aime plus, elle. Je veux divorcer et épouser Katia.

Les enfants ? Vous savez, j'ai parlé aux enfants. Eux, ce qu'ils veulent, c'est que tout se passe bien. Ils aiment beaucoup Katia – comment ? Oui, c'est leur cousine germaine, et après ? Au moins elle est jeune, elle les comprend. Un divorce arrangerait tout le monde. Ça ne les empêcherait pas d'aimer leur mère. Et si elle finissait par sortir, on pourrait pratiquer la garde alternée. Ce serait toujours mieux pour eux que d'aller la voir, contraints et forcés, à l'hôpital psychiatrique.

Alors voilà où je voulais en venir, justement. L'avocate de Claire fait valoir auprès de la JAF que ma femme étant malade, demander le divorce est une faute – « c'est l'aspect moral du contrat de mariage », paraît-il. Moi, ce que je crois, c'est qu'elles essaient de me soutirer le maximum d'argent, elles veulent réclamer des dommages et intérêts, et comme je n'ai pas les moyens, de fait elles empêchent le divorce. Mais ça n'a rien à voir avec une quelconque maladie. Claire n'est pas malade, elle n'a pas un cancer, que je sache ? Elle n'est pas folle non plus – ça se serait vu, depuis le temps. Une bouffée délirante, ça peut arriver à tout le monde. Un petit passage à vide, un *nervous breakdown*, on en a tous connu. Mais elle, elle brode par-dessus. Elle a été comédienne, ne l'oublions pas, elle sait comment en rajouter.

Oui, mais elle fait semblant, je me tue à vous le dire ! Moi aussi je peux le faire, hein, me balader à poil dans la rue en expliquant qu'on veut me tuer, qu'on me persécute. Non, elle est seulement malade de jalousie, folle de dépit. Je ne voudrais pas enfoncer le clou, mais sa seule maladie, c'est de mal vieillir. Et on ne va quand même pas m'empêcher de divorcer parce que ma femme a ses humeurs hormonales. Je veux vivre, moi, Katia veut des enfants… Qu'elle nous laisse être heureux, bordel !

Oui oui, je me calme.

Certainement pas. Il n'y a pas de dommages, et l'intérêt, c'est le sien, employé à me nuire.

Une prestation compensatoire, à la rigueur. Mais pour compenser quoi ? Elle a un bon métier, des amis, des occupations. Elle peut mener une très bonne vie sans moi, elle peut retrouver un amant, surtout si elle arrête ses conneries, elle peut se remarier, qui sait ? Donc, je ne vois pas trop pourquoi je devrais lui donner de l'argent, vraiment ! Mais venons-en à l'objet de ma visite. J'ai apporté la vidéo d'un reportage qui a été fait à la clinique de La Forche, là où ma femme est… internée – enfin, on dit « pensionnaire », vous savez, c'est la psychiatrie *new style*, tout le monde est « pensionnaire », les dingues, les déprimés, les soignants, le personnel de cuisine : tout le monde dans le même sac. Et je vous avoue que parfois on se demande qui est qui. Un chat n'y retrouverait pas ses petits. Enfin bref, il y a quelque temps, j'ai suggéré à Chris – Christian Lantier, un vidéaste qui a travaillé sur un de mes spectacles – d'aller faire un reportage à La Forche. Il est documentariste, à la base, ça l'a tout de suite branché, il avait envie de travailler sur les milieux psychiatriques, d'ailleurs il s'est beaucoup investi, il s'est immergé, il avait sûrement ses raisons. Bref, il a obtenu les autorisations nécessaires et il a tourné en février dernier. Bon, je ne vais pas tout vous montrer, vous avez autre chose à faire, Maître, mais regardez juste cet extrait – attendez, vous permettez que je le mette dans votre ordinateur ? Sinon, je l'ai sur ma tablette, mais ce sera plus petit.

Alors attendez… [*clic*] Je passe, je passe.

Séquence 2, la voilà [*clic*]. Ah non, avant il y a autre chose, ça c'est intéressant aussi [*clic*] ils lisent du théâtre, ils sont trois, ma femme Claire (la petite blonde) et une autre nana avec qui elle est toujours fourrée. Et regardez bien l'homme, le jeune mec, observez comment ils se regardent, ma femme et lui.

ARAMINTE. *Vous trouverez ici tous les égards que vous méritez ; et si, dans la suite, il y avait occasion de vous rendre service, je ne la manquerai point.*

MARTON. *Voilà Madame : je la reconnais.*

ARAMINTE. *Il est vrai que je suis toujours fâchée de voir d'honnêtes gens sans fortune, tandis qu'une infinité de gens de rien, et sans mérite, en ont une éclatante. C'est une chose qui me blesse, surtout dans les personnes de son âge ; car vous n'avez que trente ans tout au plus ?*

DORANTE. *Pas tout à fait encore, Madame.*

ARAMINTE. *Ce qu'il y a de consolant pour vous, c'est que vous avez le temps de devenir heureux.*

DORANTE. *Je commence à l'être aujourd'hui, Madame.*

[*clic*] Vous voyez l'ambiance. Très dépressive, hein !… Oui oui, bien sûr, ils répètent, OK, mais justement : c'est mon métier, Maître, je vous le rappelle, je suis metteur en scène. Je suis sûr que ma femme le fait exprès, elle me nargue. Mais [*clic*] regardez ce passage-là, filmé dans le parc de La Forche, ce n'est pas long.

[*Voix d'homme hors champ.*] Bonjour. Excusez-moi, je peux vous interrompre un instant ? [*hochement de tête collectif : les mêmes que précédemment*] Aujourd'hui, j'aimerais que vous me parliez un peu de vous, si vous êtes d'accord. De la vie ici. Vous, Claire, par exemple, vous êtes là depuis longtemps ? – Oui. Je ne sais pas au juste. Plusieurs printemps. Plusieurs parterres de jonquilles. Je dois en être à la saison 3. Et vous, Chris ? – Euh, moi… ? – Oui, vous, vous êtes là depuis longtemps ? – C'est-à-dire… je… [*il a l'air désemparé*] – Chris, Chris. Vous connaissez l'histoire du fou qui se promène dans le parc de l'asile ? Non ? C'est un fou qui se promène dans le parc de l'asile. Il arrive près du mur d'enceinte, l'escalade, regarde de l'autre côté et interpelle un passant : « Eh, dis-moi, vous êtes nombreux là-dedans ? » [*Elle a un petit rire gai, les autres rient aussi.*]

[*clic*] Bon, stop, ça suffit ! Vous entendez, Maître, vous entendez comme elle rit. On voit qu'elle va très bien. Elle se moque de nous, c'est tout, elle jouit du bon tour qu'elle nous joue. Et aux frais du contribuable, je vous fais remarquer.

Non, ce n'est pas la peine, la suite, c'est de pire en pire. Enfin, si vous y tenez… Buvons le calice jusqu'à la lie. Je vous préviens, elle a toujours aimé raconter des blagues idiotes, comme ça, n'importe quand, comme elles lui venaient. Elle n'est pas plus folle que vous ou moi, c'est bien la preuve, elle mime, elle fait semblant pour

209

rester hors d'atteinte et tenir tout le monde en respect, rien de plus. Et ses citations littéraires, ses références à tout-va, pareil. Elle nous défie, moi, Katia, mais tous les autres aussi. Vous, la JAF, tout le monde.

[*clic*]

— Chris, Chris, tournez plutôt par là, filmez le parc, filmez la beauté, filmez la liberté. Faites un gros plan sur les jonquilles, là, vous les avez vues ? – [*Un homme petit et chauve, l'air absorbé, arrive près du groupe, les salue de la main et leur dit sans s'arrêter, tout en marchant*] : *Lehem,* ça veut dire le pain. Et aussi : pour se chauffer. Et aussi : le sexe. – Merci, Michel [*tout le groupe agite la main en signe de reconnaissance. Christian Lantier reprend, hors champ*] – D'accord, Claire, je vais le faire. Mais répondez-moi, vous ne m'avez pas répondu : vous ne voulez pas sortir ? Retrouver votre vie d'avant, votre travail, votre famille ? – Ah ! Attendez, j'en ai une autre, une très bonne. C'est un couple d'une soixantaine d'années, ils viennent de prendre leur retraite, ils vivent tranquillement dans une petite maison. Un jour, on frappe à leur porte. Une vieille femme est sur le seuil, elle leur demande de l'aide. Ils la font entrer, lui offrent gîte et couvert. Après avoir mangé, elle leur dit : « Mes amis, je suis une fée. Faites chacun un vœu, et je l'exaucerai pour vous récompenser de votre bon accueil. » Ils se récrient, étonnés et ravis. La femme commence. « Eh bien, comme nous sommes en retraite depuis peu et que nous en avons toujours rêvé, je voudrais que nous puissions faire le tour du monde ensemble, un vrai grand beau voyage », dit-elle. « Pas de problème », dit la fée. Pschttt. Un nuage de poudre d'or et voilà la dame avec deux billets pour une croisière autour du monde. « Et vous ? » demande la fée au mari. Le mari hésite un peu, regarde sa femme en biais, se mordille la lèvre puis se décide : « Écoute, tu ne vas pas être contente, mais désolé, l'occasion ne se représentera jamais pour moi, alors tant pis, je fonce. » Il se tourne vers la fée et lui dit : « Je voudrais avoir une femme qui ait trente ans de moins que moi. – Pas de problème », dit la fée. Elle fait un geste en direction du mari, et là, pschttt, il a quatre-vingt-dix ans.

[*clic*]

Bon, cette fois j'arrête. Vous voyez le niveau. Et ils rient tous avec elle, une vraie cour de récréation. Ça me rend dingue, son rire.

Le type à côté d'elle ? Un psy, je crois. Comme je vous le disais, là-bas, on ne sait pas trop. C'est son amant, si ça se trouve. Vous avez noté leurs regards ? Ils ont l'air très proches, non ? Très complices, vous ne trouvez pas ?

L'autre, la grande blonde avec les yeux perçants ? Elle fout un peu les jetons, elle. Je me souviens plus bien. Camille, euh… Camille Morand, quelque chose comme ça. Sinon, je sais pas trop, je crois qu'elle… Ah si ! C'est rien, c'est un écrivain.

Je dédie ce livre à la mémoire de Nelly Arcan.

Outre les références explicites à certaines œuvres, ce roman contient des réminiscences ou des citations, parfois infidèles, de :

A. Artaud, H. Melville, L. Aragon, J.-F. Lyotard, N. Arcan, J. Racine, D. Winnicott, J. Didion, G. Flaubert, P. Lejeune, O. Steiner, J. Joyce, W. Shakespeare, J. Renard, M. Duras, P. Quignard, J. Lacan, W. B. Yeats, H. de Balzac, H. Cixous, R. M. Rilke, L.-F. Céline, R. Juarroz, M. Leiris.

Le poème cité p. 163 est de W. H. Auden.

La chanson « De la main gauche » a été écrite par Danielle Messia.

Le texte p. 74 est librement inspiré de l'ouvrage de J.-P. Winter, *Les errants de la chair. Études sur l'hystérie masculine*, et de différents sites Internet de vulgarisation sur le sujet.

La phrase : « Les gens ne meurent pas, on les tue » (p. 73) est le leitmotiv d'un film dont j'ai oublié le titre.

DU MÊME AUTEUR

Aux Éditions Gallimard

INDEX, 1991 (Folio n° 3741). Édition augmentée en 2014.

ROMANCE, 1992 (Folio n° 3537).

LES TRAVAUX D'HERCULE, 1994 (Folio n° 3390).

L'AVENIR, 1998 (Folio n° 3445).

QUELQUES-UNS, 1999.

DANS CES BRAS-LÀ, 2000. Prix Femina et prix Renaudot des lycéens, 2000 (Folio n° 3740).

L'AMOUR, ROMAN, 2003 (Folio n° 4075).

LE GRAIN DES MOTS, 2003.

NI TOI NI MOI, 2006 (Folio n° 4684).

TISSÉ PAR MILLE, 2008.

ROMANCE NERVEUSE, 2010 (Folio n° 5308).

ENCORE ET JAMAIS, 2013.

CELLE QUE VOUS CROYEZ, 2016 (Folio n° 6314).

Dans la collection Folio Essais

AMOUR TOUJOURS ? Ouvrage collectif, n° 583, 2013.

Aux Éditions Stock

PHILIPPE, 1995 (Folio n° 4713).

Aux Éditions Léo Scheer

CET ABSENT-LÀ. Figures de Rémi Vinet, 2004 (Folio n° 4376).

Chez d'autres éditeurs

LES CINQ DOIGTS DE LA MAIN. Ouvrage collectif, *Actes Sud*, coll. Heyoka Jeunesse, 2006.

LES FIANCÉES DU DIABLE. Enquête sur les femmes terrifiantes, *Éditions du Toucan*, 2011.

EURYDICE OU L'HOMME DE DOS *in* GUERRES ET PAIX. Huit pièces courtes. Recueil collectif, *L'Avant-scène théâtre/Quatre-vents*, 2012.

L'UNE & L'AUTRE. Ouvrage collectif, *Éditions de l'Iconoclaste*, 2015.

SUR LE DIVAN. Ouvrage collectif, *Éditions Stilus*, 2017.

Composition Nord compo
Impression Maury Imprimeur
45330 Malesherbes
le 06 avril 2017.
Dépôt légal : avril 2017.
Numéro d'imprimeur : 217336.

ISBN 978-2-07-271614-0. / Imprimé en France.